PONTO CARDEAL

AMBASSADE DE FRANCE AU BRÉSIL
Liberté
Égalité
Fraternité

Cet ouvrage a bénéficié du soutien des Programmes d'aides à la publication de l'Institut Français.

Este livro contou com o apoio à publicação do Institut Français.

Léonor de Récondo

PONTO CARDEAL

2ª EDIÇÃO

TRADUÇÃO Amilcar Bettega

Porto Alegre   São Paulo • 2020

Copyright © 2017 Sabine Wespieser éditeur
Título original: Point cardinal

CONSELHO EDITORIAL Gustavo Faraon e Rodrigo Rosp
PREPARAÇÃO Samla Borges Canilha
CAPA E PROJETO GRÁFICO Luísa Zardo
REVISÃO Helena Jungblut, Raquel Belisario e Rodrigo Rosp
FOTO DA AUTORA Émilie Dubrul

DADOS INTERNACIONAIS DE
CATALOGAÇÃO NA PUBLICAÇÃO (CIP)

R294p Récondo, Léonor de.
Ponto cardeal / Léonor de Récondo;
trad. Amilcar Bettega. — Porto Alegre:
Dublinense, 2020.
160 p. ; 21 cm.

ISBN: 978-65-5553-004-9

1. Literatura Francesa. 2. Romances Franceses.
I. Bettega, Amilcar. II. Título.

CDD 843.91

Catalogação na fonte:
Ginamara de Oliveira Lima (CRB 10/1204)

Todos os direitos desta edição
reservados à Editora Dublinense Ltda.

EDITORIAL
Av. Augusto Meyer, 163 sala 605
Auxiliadora • Porto Alegre • RS
contato@dublinense.com.br

COMERCIAL
(51) 3024-0787
comercial@dublinense.com.br

PARA ISABELLE SAUVEUR

*Ela volta de longe, poderíamos dizer
dela se a conhecêssemos.*

JEAN-CLAUDE PIROTTE
Une île ici

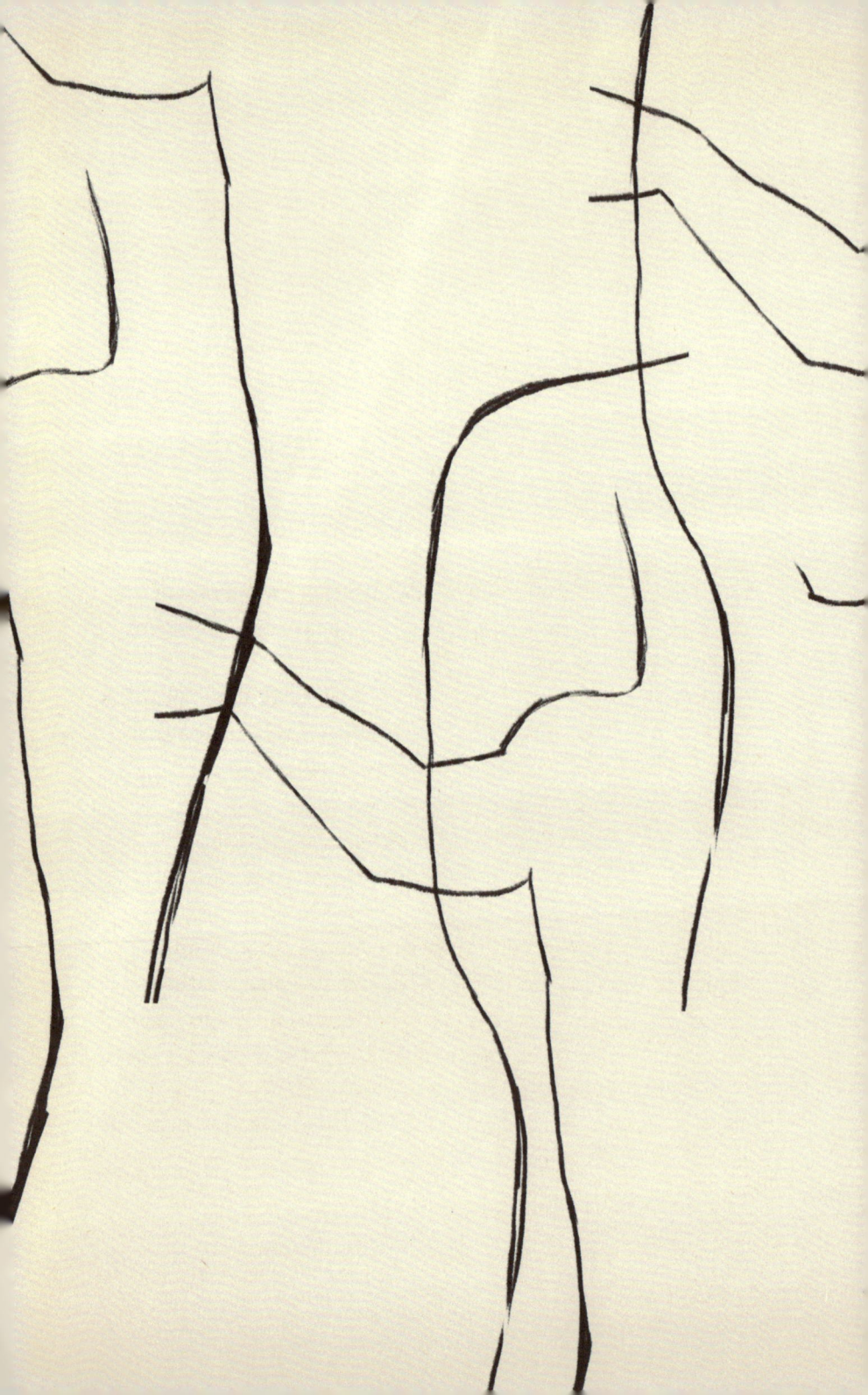

Mathilda contorna a rotatória e entra no estacionamento do supermercado. Quase ninguém àquela hora. Escolhe uma vaga longe da entrada, desliga o motor, coloca o CD na fenda do painel. Sob a sombra do enorme letreiro, a música surge, o volume no máximo.

Oh Lord who will comfort me?

Mathilda encaixa um espelhinho no centro do volante, se olha, se acha bonita e triste ao mesmo tempo, observa o queixo, o nariz, os lábios. É o momento do despojo, o pior momento.

Ela desce do carro, abre o porta-malas. Sob o tapete, o estepe deu lugar a uma maleta. Apanha-a, um pouco trêmula. Quanto tempo ainda? Mathilda volta a se sentar, a maleta de alumínio lhe causa frio nas coxas. Ela aciona os pequenos botões metálicos, que soltam as presilhas com um ruído seco. Pega um lenço umedecido para remover a maquiagem, esfrega suavemente os olhos e, em seguida, começa a retirar os cílios postiços. Seu rosto se desnuda. Quando os cílios são dispostos dentro da caixa, Mathilda já está quase desaparecida sob os restos do lápis negro, das cores turvas, do rímel espalhado pelas maçãs do rosto.

Nos seus pés, junto aos pedais, os lencinhos impregnados de sombra, blush, batom vão caindo, amassados, bege, preto, vermelho, marrom.

My soul is wearying...

É a terceira vez que Melody Gardot começa uma canção. Mathilda faz uma pausa em sua operação e canta com ela, tamborilando no volante. Se tivesse coragem, desceria do carro e dançaria ali mesmo. Abriria bem as portas, ignorando os curiosos, dançaria com movimentos ondulantes e batendo palmas, se deixaria ser vista. Mas ela não ousa.

Já quase sem maquiagem, Mathilda retoma o fôlego, repousa a cabeça no encosto do banco, espera um pouco antes de continuar, depois olha o relógio. São vinte horas e dezessete minutos. É preciso voltar.

Então, meticulosamente, ela retira todos os resquícios de maquiagem do rosto. Transpira, as têmporas queimam. Retira os grampos e a rede que prende a peruca, acomoda a cabeleira em seu estojo, verifica os olhos e a boca no espelho. Tudo está virgem, os restos de base desapareceram. Agora ela tem de tirar a roupa e botar os trajes de esporte. É obrigada a fazer uma contorção para tirar o vestido de seda. A calcinha e a meia-calça se enrodilham nos tornozelos.

Laurent está completamente nu. Ele apanha a mochila no banco de trás e a coloca no do carona, vasculha lá dentro, tira um calção, uma calça de abrigo, uma camiseta e um tênis. Tem pressa. O carro está repleto de peças de roupas, de lencinhos usados. Um caos que reflete a sua desordem interior. Irritado por ter tirado seus trajes de luz, Laurent volta à sombra, se veste, se crispa, arruma tudo o que tem de ser arrumado dentro da maleta que voltará para o seu refúgio no porta-malas, sob o tapete. Vai lhe restar apenas a mentira.

Poucos minutos depois ele está pronto. Da desordem já não se vê mais nada. Ao dar partida no carro, ele corta a voz de Melody Gardot. O rádio despeja agora as últimas do noticiário. Ele precisa se concentrar, a casa não fica longe. Tem pouco tempo para se acalmar, para esquecer os momentos de alegria, Cynthia e as amigas do ZanziBar, a música e a seda. A realidade são as notícias da tarde, a previsão do tempo e os informes publicitários.

Laurent está apenas a algumas quadras de casa. Ele diminui a marcha, inspira profundamente. Eu sou Laurent, fingir. Dobra à direita, o portão se abre. O automóvel avança com o ruído dos pneus sobre o cascalho. Ele para, puxa o freio de mão e ainda espera mais um pouco.

Nesta hora, o que ele gostaria era de se fundir ao tecido sintético do banco. Desaparecer, já que Mathilda não está.

— Olá, estou aqui!

Laurent espicha o pescoço no vão da porta da cozinha, espia lá dentro e repete:

— Estou aqui!

Diante da pia, ocupada em lavar uma alface, Solange se volta. As folhas que ela segura na mão respingam no piso. Sorri para ele.

— Oi. Tudo bem?

— Tudo. Você acha que dá tempo de eu tomar um banho antes de jantar?

— Claro! A gente come depois.

Laurent se apressa, sobe diretamente, passa em frente dos quartos das crianças sem lhes dar um oi. Primeiro quer tomar uma ducha, se limpar. Larga a mochila com suas roupas de treino no corredor, bem à mostra, e entra no banheiro. Se despe rápido, entra no boxe, fecha a porta e deixa o jato escaldante escorrer pelo seu corpo. Ainda aumenta um pouco mais a temperatura da água. Me ensaboar, me desinfetar, passar por todo o meu corpo a esponja áspera, lavar os cabelos com bastante espuma, espalhá-la pelo meu rosto. Se o gosto não fosse tão ruim, eu a colocaria mesmo dentro da minha boca.

Depois se enxágua abundantemente. Quando sai do boxe, uma nuvem de vapor já tomou conta do pequeno banheiro. Ele enfia o pijama que estava pendurado no cabide atrás da porta e desce outra vez até a cozinha.

Thomas ajuda sua mãe. Ao ver o pai se aproximando, diz:
— Você precisa mesmo jantar assim, de pijama?
Laurent olha para o filho, meio atrapalhado.
— Isto te incomoda?
— Sei lá, os velhos é que fazem isso, não é?

Agora estão os quatro à mesa. Toda entusiasmada, Claire conta como foi o seu dia. Laurent não a escuta, apenas a observa. É uma garota em suas treze primaveras, com a feminilidade em ebulição, que em seguida vai se soltar de vez, mas que por enquanto entra devagar no mundo dos adultos, embebendo-se de palavras, penteados, risinhos, passando horas no telefone com as amigas falando sobre o que desperta dentro do seu corpo e que mexe tanto com ela. E também tem Thomas. Aos dezesseis anos, ele já lhe escapa. É o garoto que ele nunca foi, seguro de si mesmo, do seu corpo, sem papas na língua, e que encontrou na mãe uma cúmplice fiel.

Laurent mastiga uma folha de alface, olha para os que constituem a sua vida, para as pessoas que ele ama. Solange, que ele conheceu ainda no colégio. Ele tinha a idade de Thomas, se dá conta agora. Sorri para ele. Thomas toma o sorriso como um convite para prosseguir com a história que tinha acabado de iniciar. Fala de um jogo de computador. Laurent se esforça para compreender, mas, tendo perdido o início, já não consegue entender grande coisa. Então continua a mastigar sua salada e se diz que sim, que tinha a idade de Thomas, e Solange um ano menos.

Faz vinte anos. Nada de sexual no início, mas uma amizade evidente. Um bem-estar profundo quando perto dela, um bem-estar ainda hoje presente. Solange sabe, Solange encontra soluções. A cada etapa da vida deles foi assim. Ela quem sempre tomou todas as iniciativas, e ele as recebeu com alegria, sem jamais duvidar de que eram as iniciativas perfeitas. O primeiro beijo, a primeira carícia, os estudos, a escolha do apartamento, depois os filhos e a compra da casa, que um dia vai ser deles, quando já estiverem velhos, daqui a quinze anos. Na época eles riam disso. Hoje já nem pensam mais, só pagam.

— E você?

Laurent não escuta.

— E você? — Solange repete, agora mais alto. Três pares de olhos o observam.

— E eu?

Ele engole o que tinha na boca, não sabe o que dizer.

— E eu nada.

— Seu treino hoje?

— Ah, sim... Stéphane não dá folga. Estou completamente exausto.

Aquela resposta satisfaz os três e a conversa toma outro rumo.

O treino na academia é a desculpa de Laurent. Tudo começou por causa das dores e de uma enorme vontade de emagrecer. Durante vários meses, na rua ou na academia, ele pedalou sem parar. Tomava outra vez o controle do seu corpo, os efeitos eram inebriantes. Músculos desenhados, pele esticada e, sobretudo, as pernas depiladas. Quando Solange o vira sair do banheiro com as pernas raspadas, olhara para ele meio espantada. Ele tinha dado a desculpa do vento, que oferecia mais resistência com os pelos — sim, mesmo dentro da academia, ele acrescentara, e, sabe, também o suor escorre mais facilmente. Todos os ciclistas fazem isso. Ela zombara discretamente do seu argumento, mas ele não dera atenção.

Agora já não usa mais a lâmina de barbear para raspar as pernas, depila-se com cera. Suas panturrilhas lisas e brilhantes lhe proporcionam, quando as acaricia, um prazer indefinível, uma onda de calor que o transporta até a sua mais profunda infância, quando tudo ainda lhe parecia possível.

Laurent leva os filhos à escola todos os dias pela manhã. Faz questão desses momentos especiais, às vezes meio sonolentos, às vezes loquazes. Vão de carro, às sete horas e quarenta e três minutos, a hora, sim, não muda nunca.

Durante muito tempo Thomas exigiu ir na frente, mas, agora que fica mexendo sem parar no celular, prefere ir no banco de trás. Claire não se queixa. Desde que trocou de lugar, ela se impõe com mais firmeza. Fala da apresentação que deve fazer mais tarde, diante de toda a turma na aula de inglês. Está angustiada e eufórica ao mesmo tempo, duas emoções que se entrechocam com frequência em seu íntimo. Laurent nota aquelas sutis alterações, mas nada comenta sobre isso. Começar a falar abriria uma brecha que ele não tem certeza de poder fechar depois. Então ele a acompanha até o portão da escola e se despede dizendo que a ama. Faz o mesmo com o filho. Quando eram menores, Claire e Thomas respondiam: eu também te amo. Mas, com o pudor da idade, agora eles se contentam com um furtivo: até mais.

Uma vez sozinho no carro, Laurent liga o rádio. Quinze minutos de notícias que escuta distraidamente a caminho do trabalho. A companhia de energia eólica que o emprega fica na periferia da cidade, perto do Zanzi. Por vezes, apenas pelo prazer, ele passa na frente. A esta hora da manhã o bar está fechado, o letreiro em neon apagado, a fachada com chapas de zinco pouco atraentes. Mas apenas olhar para aquilo já lhe permite passar dias inteiros sem pensar, avançar até o próximo sábado. Esse lugar existe e concretiza quem eu sou.

Na empresa, eles são uns dez sentados ou de frente ou de costas um para o outro, todos em seus postos, diante do monitor do computador, na imensa bancada alva à imagem do futuro ecológico que a companhia deseja encarnar. Alguns, incomodados pela assepsia do local, personalizaram seu espaço. Mesa branca também, em aglomerado, povoada de fotos de família com crianças sorrindo. Uma caixa de bombons que circula entre os colegas. Uma carteira de cigarros à vista para os que fazem a pausa regular, no frio e acompanhados pelo copinho de plástico. O café bebido de um gole, a fumaça tragada sem demora, algumas palavras trocadas, o tempo, o trabalho, os outros. Laurent não fuma, Estelle também não. Eles sempre se deram bem. Ela encontra em Laurent uma escuta mais do que atenta às contingências de sua vida amorosa. Incompreensão total da turma masculina, incluindo suas ações e reações. Estelle não sabe nada a propósito de Mathilda, embora, por várias vezes, Laurent tenha pensado em lhe falar. Ela o entenderia, ele não tem dúvidas, e com certeza o encorajaria. Mas e Solange, não é ela a primeira pessoa a quem ele deveria contar? Então espera sempre mais um pouco, outro dia, enquanto olha o salto alto de Estelle, a sua maquiagem bem feita, os sinais exteriores de uma feminilidade tão segura de sua existência.

Laurent é fascinado pela colega. Interiormente eu sou como ela, tenho certeza. Aliás, a gente concorda em tudo.

Estelle muitas vezes se espanta com a cumplicidade deles. Em suas longas conversas na hora do almoço, ela lhe diz que, se todos os homens fossem como ele, a sua vida seria bem mais simples. Ele dá risada.

— Talvez, mas nossos almoços seriam bem mais chatos! Porque a felicidade não diz nada, só se cala.

— Então como você deve ser feliz com Solange!

Ele responde sacudindo a cabeça afirmativamente.

Hoje, talvez, irão ao restaurante chinês, é o que fazem em geral na segunda-feira, e o cardápio não muda: rolinhos primavera, pato laqueado, arroz cantonês para ele, arroz branco para ela e, quando estão com espírito de festa: duas Tsingtao, por favor.

Nesta manhã de segunda, os e-mails afluem. Antes de fazer a triagem por ordem de importância, Laurent deseja escrever a Cynthia para recordar o delicioso fim de tarde do sábado. Colocar aquela lembrança em palavras para revivê-la um pouco mais.

Cynthia, você estava linda. Eu estava bem. Dançava, rodopiava, esquecia. Vamos fazer de novo, né? Eu me sinto quebrada e idiota agora. Se você tivesse me visto ao me trocar no carro, roupas para todo lado. E depois o jantar com meu sorriso forçado... Mas eu só quero me lembrar daquelas três horas no Zanzi...

Uma mensagem aparece no mesmo momento em sua tela.

Você me parece bastante concentrado hoje! No chinês ao meio-dia?

Estelle o observa da sua mesa.

Laurent gosta de treinar cedo, bem cedo. Duas vezes por semana, ele põe o alarme do relógio para as quatro horas e trinta minutos. O celular vibra discretamente, sem acordar Solange. Ele se espreguiça, em seguida vai até o banheiro e lava o rosto com água fria. Na cozinha, prepara um café bem forte. Está sozinho, sem rádio, sem filhos, sem mulher. Sozinho escutando o silêncio da noite, sozinho deslizando montado na bicicleta, percorrendo o vazio das ruas, o vazio do campo.

Tinha começado a treinar quando tudo estourava dentro dele. Quando seus ossos, músculos e tendões queimavam. Ninguém tinha encontrado a causa daquelas inflamações cada vez mais frequentes. Ele falara demoradamente sobre isso com Estelle, e ela repetira várias vezes: "Seu corpo está te dizendo alguma coisa". Sim, mas o quê? Tentou homeopatia, osteopatia, ayurveda e até um curandeiro, depois a piscina, até se lembrar dos passeios que fazia de bicicleta, quando era criança, pelas trilhas de terra nos arredores de casa. Então comprou uma, de corrida, para rasgar o vento. Logo os treinos na academia, ou de manhã cedo, se encadeavam, e as dores pouco a pouco se dissiparam. Ele conseguia mantê-las à distância agora graças aos quilômetros percorridos.

Hoje não está chovendo e a temperatura beira os dez graus. Condições perfeitas para ver o amanhecer. Ele bebe dois grandes goles de café e enche a garrafinha de água.

Tira a bicicleta da garagem, monta nela e se enfia dentro da noite agonizante. Precisa de quinze minutos para chegar às estradas que margeiam o campo, o tempo de se aquecer, de sentir cada uma das articulações se fundindo no ritmo do seu corpo. Respirar, pedalar, esquecer. Círculo virtuoso que o projeta longe dele próprio, longe de seus problemas e daquelas imagens que surgem sem avisar, longe dos desejos compulsivos de entrar em uma loja de lingerie feminina para tocá-las. Tocar o algodão, o cetim, as rendas, os elásticos, escutar o papel de seda se dobrar, maltratado pelas vendedoras que embalam e desembalam calcinhas, sutiãs, meias-calças, camisolas. E seus dedos tremem, e suas mãos ficam úmidas. Como ele fica longe de tudo isso quando pedala ao amanhecer.

Além do mais, é um trajeto de que gosta, entre as plantações de milho, de caules altos nesta época do ano, que formam uma sebe densa, impenetrável, desenhando um caminho preciso a seguir sem pensar, apenas pedalar, quase levantando voo. Sentir o vento nas pernas lisas e a transpiração secar imediatamente após ter brotado no seu rosto. Os olhos que ardem e piscam rápido. Amaldiçoar os insetos que batem em sua cara e engolir quilômetros para ver o sol despontar e se enternecer com a beleza do dia nascendo, com o esforço realizado. Se sentir bonito, feliz, inebriado pelo que o cerca e mergulhar ainda nesta alegria do esforço físico, deixando para trás Solange, Claire, Thomas, o trabalho, o Zanzi, Estelle e os outros. Então nada mais existe além do seu coração, que bate para irrigar cada veia, para oxigenar cada músculo solicitado.

Ainda dormindo, Solange procura Laurent. A mão percorre o outro lado da cama. Ninguém. Ela acorda num sobressalto, às seis horas e dezoito minutos, e então se dá conta de que é terça-feira, dia de treino. Deita-se de novo, se dizendo que ainda poderia dormir uma hora mais, mas seu espírito já está desperto, sua noite acabou. Pensa em ler um pouco, depois decide ligar a tevê. A luz azulada da tela invade o cômodo inteiro. Ela aperta os olhos, zapeia, para em canais de noticiários. Mulheres maquiadas, impassíveis, despejando uma torrente de notícias. Ela escuta sem prestar muita atenção, enquanto projeta o dia com seus pequenos alunos do maternal: colagem, aprendizagem do alfabeto, trabalho sobre as frutas. Sorri, se lembrando dos rostinhos lambuzados de vermelho quando da descoberta das framboesas. Corta o som da televisão. Agora é um homem enfiado num terno, engravatado, que a olha. Ela vê seus lábios se mexendo, enquanto em uma faixa na parte de baixo da tela vai passando os índices do CAC 40. Desliga a tevê com um gesto cansado e vai até a cozinha preparar um chá antes que os filhos acordem.

Abre a cortina da janela acima da pia. O sol está nascendo, ela não acende nenhuma lâmpada, a água esquenta na chaleira. Permanece em pé contemplando o jardim, bebe em pequenos goles a xícara do chá quase queimando. O líquido desliza por dentro dela, despertando-lhe todo o corpo.

Vê Laurent cruzar o portão. Ele vem empurrando a bicicleta e logo sai do seu campo de visão. Ouve-o abrindo a porta da garagem, depois a fechando. Ele já está em casa, respira ofegante, entra na cozinha. Ele se assusta diante de sua presença.

— Parece um fantasma, assim, contra a moldura da janela!

— E você parece um gafanhoto todo molhado!

Ela dá risada, ele sorri.

— Você não pode imaginar como isso me faz bem!

Ela o observa com atenção.

— Você mudou, emagreceu bastante...

— Quando estou pedalando, eu não penso em nada.

Ela se serve de outra xícara de chá, olha-o de canto de olho.

— Tem certeza de que é só isso?

— Por que essa pergunta?

— Não sei, essa assiduidade...

Ele pensa, seca o rosto.

— Na verdade, sim, tem outra coisa. O CD que você me deu de aniversário, da Melody Gardot. Acho que eu ainda não te agradeci o suficiente. Tem uma música ali, não sei te explicar, é preciso que você escute. Aquela música sou eu, e só você mesmo pra poder descobrir isso.

Laurent espera na saída da escola para ir ao jogo. Desde pequeno Thomas joga futebol, fez vários amigos na escolinha: mesmos colegas, mesmos pais, mesmos treinos ao longo de anos. Laurent cruza com pais de cabelos grisalhos, alguns acompanhando os filhos com entusiasmo, outros, como ele, se interessando mais frouxamente.

Laurent inscreveu Thomas quando ele tinha seis anos, sem muito se perguntar por quê, como o seu próprio pai tinha feito com ele. Ser um homem significava, entre outras coisas, gostar de futebol. Mas a experiência, que deveria ser fantástica, para Laurent se revelara desastrosa. O futebol se impunha na família como a apoteose da masculinidade. Ele, porém, nunca tinha encontrado nenhum prazer em correr atrás de uma bola. Quando criança, achava mesmo que era uma correria por nada, e a brutalidade dos sentimentos que aquele esporte implicava o magoava profundamente. Mas como questionar as ideias já bem assentadas do seu pai?

Hoje Laurent se diz que seus conflitos interiores devem ter começado lá, no futebol, embora isso não o tenha impedido de inscrever Thomas. Como um autômato, ele havia repetido, quase com as mesmas palavras, o que lhe dizia o pai. O futebol, você vai ver, é a escola da vida! Você vai se apaixonar por isso como eu, com fervor. Como um

Duthillac deve fazer! Sim, Laurent tinha dito isso em sã consciência, esquecendo o pesadelo dos vestiários.

Ele sente arrepios ao se lembrar do fedor, da decadência daqueles vestiários do seu timezinho de subúrbio. Após os treinos no campo, os meninos suados e tiritando se enfiavam lá dentro. Iam se despindo de qualquer jeito antes de correr para os chuveiros: chuteiras, meias, camisetas, calções, tudo se amontoava pelas lajotas do piso. Oito duchas coletivas onde os meninos se empurravam, riam. Havia sempre um ou dois muito contentes de mostrar o pinto e, mesmo que a maioria não se importasse, Laurent ficava terrivelmente incomodado. Incomodado com toda aquela nudez. Muita coisa diante dos seus olhos, muitos sentimentos estranhos. Incomodado com os gritos que ecoavam fortes demais ali dentro, com a alegria demonstrada pelos outros. Às vezes conseguia ser tão discreto a ponto de escapar do banho, mas quase sempre o treinador o repreendia: "Já para o chuveiro, Duthillac!". E Laurent ia, esquecendo de retirar a toalha enrolada à volta da cintura, e de repente se via, então, com uma espécie de pano de chão todo encharcado aos seus pés. Os outros meninos não perdoavam: "Laurent tem vergonha do pinto dele! É porque é bem pequenininho!". Gargalhavam, berravam. E ele ficava vermelho, se ensaboava ligeiro, maldizendo-os por dentro. Quando o treinador vinha defendê-lo, a humilhação era ainda pior. Ele então jurava jamais voltar. Eu odeio todos vocês, vocês não entendem nada, vocês não sabem nada! Guardar tudo aquilo consigo para mais tarde.

Somente aos quinze anos ele tivera a coragem de dizer ao seu pai que o futebol estava terminado para ele. Ainda assistira a alguns jogos, depois parara completamente, deixando o pai sozinho diante da televisão. E tudo aos poucos havia desaparecido de sua memória, os vestiários, os comentários, a vergonha, e o resto. Como pôde inscrever Thomas na escolinha sem pensar naquelas coisas? O milagre, porém, aconteceu: Thomas levara a coisa a sério, resgatando a paixão do avô, deixando o pai sozinho, sentado no banco.

O garoto adorava o espírito de equipe, estar com os outros, se sentir respaldado, mais forte em grupo, a adrenalina das partidas, os xingamentos, os adversários a vencer, a tática, e depois se superar ou ser superado. Nenhum meio-termo possível.

Thomas vive tudo isso com uma feliz indiferença. Com alegria, com sofrimento também, mas sempre com uma adequação do corpo desconhecida de Laurent. Uma adequação que não se questiona, que existe, que não é feita nem de humilhação nem de desprezo.

Tudo havia brutalmente voltado à mente de Laurent quando de uma partida em que o time de Thomas ganhara de cinco a zero. Uma alegria extraordinária tinha tomado conta dos jogadores e de seus familiares. Todo mundo havia invadido o vestiário. Laurent, empurrado por pessoas gritando, sentira ânsia de vômito, todas as suas lembranças vinham à tona e o magoavam com a mesma força de antes. O cheiro, os gritos dos adolescentes, os pais estridentes, de repente tudo aquilo o repugnava. Ele saíra, deixara o filho se trocar e o esperara no carro. Na volta para casa, enquanto Thomas ainda exultava com a vitória, Laurent perguntara como iam as coisas, se ele ainda se sentia à vontade durante os treinos. Thomas o olhara firme.

— Por que me pergunta isso agora?
— É que na sua idade eu já não gostava...
— Sério? Mas eu pensava que a gente era igual!
E o silêncio cresceu entre eles.

É um bom jogo esta noite, Laurent gosta de ver o filho correr, ir para cima, não se esquivar, avançar com tudo. Desde quando começou a pedalar regularmente, eles falam com frequência sobre a noção de esforço e de superação: é um assunto a respeito do qual eles se entendem, e um assunto de que Laurent gosta em especial.

Tudo passou tão rápido desde o nascimento de Thomas. Viu o filho crescer, cair, se levantar, ficar independente, afirmar suas opiniões. Laurent se dizia: um dia ele vai embora, como uma certeza distante que ele podia encarar com generosidade. Viu Thomas se desdobrar, se libertar. Agora que ele está com dezesseis anos, que sua saída se aproxima, mais alguns anos quando muito, Laurent começa a se questionar. Que educação, que valores eu lhe transmiti? Sente um nó no estômago. Agora, cada um dos laços que eles tecem juntos, Laurent trata de reforçá-los, e os treinos físicos são um desses laços.

Nesses momentos ele não pensa em Mathilda. Ao se casar com Solange, escolheu um caminho de que não se arrepende, que reivindica como o caminho da estabilidade, da paternidade.

Ama o corpo de Solange, conhece todas as suas curvas e reentrâncias. Deixou-se guiar pelas suas mãos e hoje, após vinte anos de vida em comum, sente uma profunda ternura por ela. Solange lhe deu a possibilidade de realizar o que mais desejava: ter uma família afetuosa.

Laurent nunca evocou Mathilda. Este problema — porque esta mulher nele é um problema — é seu. Mathilda tinha aparecido quando ele se inscreveu em alguns fóruns transexuais. Tinha levado tempo até encontrar o lugar ideal para falar de seus desejos incontroláveis de fuxicar a gaveta de lingerie da sua mulher. Um gesto que o levava de volta à infância, quando se encerrava durante horas no guarda-roupa da mãe. Uma mistura de lavanda e naftalina, tão agradável às suas narinas. Naquela obscuridade reconfortante ele podia sonhar que dançava, adornado com todos aqueles vestidos. No chão, ao seu lado, havia sapatos de salto alto ordenados por cor. Ele adorava experimentá-los para admirar o dorso do seu pé e o tornozelo que, de repente, se arqueavam. Sentia, então, um bem-estar profundo, e aquela emoção o imobilizava, incitando-o a se encolher, em meio aos sapatos, acariciado pelas bainhas dos vestidos que lhe roçavam o rosto. A mais doce de todas as carícias.

Sua mãe ria ao encontrá-lo lá dentro, ela dizia sempre que era "adorável". Mas Laurent crescia, e aquele hábito tornava-se cada vez menos enternecedor e "adorável", até o dia em que ela o proibiu expressamente de entrar em seu armário. Muito vermelho, ele se sentiu um perfeito idiota: "Você tem razão, mamãe, eu não sou um cachorrinho". Foi o que ele respondeu, sem saber muito bem por que invocava um cachorrinho. Depois, a infância e a adolescência tinham seguido os seus caminhos. E Solange aparecera, seguida da loucura que ele tinha às vezes de encostar a face na seda das calcinhas dela, de experimentar o seu batom antes do banho, buscando desculpas, se dizendo que no século 18 os homens também colocavam pó no rosto. Desculpas históricas e etnográficas, ele as tinha em profusão.

Depois de algumas noites trocando mensagens em fóruns trans, Mathilda entrara nele com estrondo. Ela se impusera brutalmente, todo o seu corpo sentira. Ela se encarnava, e ele com ela. Não tinha mais nenhuma dúvida a respeito da origem de suas dores.

Algum tempo depois encontrara Cynthia no Zanzi e, logo a seguir, ela o guiara, o empurrara, lhe dissera que um dia seria preciso que ele entrasse em acordo com ele mesmo, que ela havia passado por aquilo, que a inadequação fundamental ela conhecia, e terminara uma de suas mensagens assim: *Você não está sozinha, Laurent*. Lendo a terminação de "sozinha", Laurent chorara. Cynthia o tinha colocado em palavras.

Agora que a partida terminou, Laurent não pensa em nada disso. Mathilda o deixa em paz. Ele cumprimenta o filho, está orgulhoso de Thomas. Durante o retorno para casa, eles comentam o jogo, escutam músicas a um volume alto, eufóricos.

Solange e Claire estão sentadas na sala. Quando eles chegam, Thomas se atira no sofá e começa a contar a partida nos mínimos detalhes. Claire se entusiasma, ela adora o irmão.

Depois que a excitação geral se acalma um pouco, Solange comenta sobre aproveitar o feriado de Finados para dar uma saída com os filhos e ir visitar a sua mãe.

— Ela não está muito bem. E enquanto a gente pode ir ver ela, a gente vai.

E continua, dirigindo-se a Laurent:

— Você se incomoda de ficar sozinho por alguns dias?

Desde que nasceram os netos, a mãe de Solange parou de perguntar à filha como ela ia. Suas conversas ao telefone começam sempre por: Olá, minha querida. Como estão Claire e Thomas? E nos dias mais loquazes, quando a conversa se alonga, ela deixa escapar um: E Laurent, como vai?

Solange tornou-se uma espécie de parada para descanso, na melhor das hipóteses uma passagem. Levara tempo para compreender o que a incomodava. Cada vez que desligava o telefone, sentia-se contrariada. E, ao rememorar a conversa, acabava por concluir que não tinha por quê, ela devia estar enganada. Tinham falado das crianças, das últimas saídas, e sua mãe tivera mesmo a gentileza de perguntar como ia Laurent. Então, o que tinha a lhe reprovar?

Após o nascimento de Claire, quando ainda se sentia esgotada e recém tinha voltado a trabalhar, Solange pedira ajuda à mãe. Para quem, além dela, podia ter feito aquele telefonema? Solange dissera: Acho que não vou conseguir, duas crianças, Claire não dorme de noite, minha turma no maternal, Laurent, a casa, e além de tudo eu me sinto muito sozinha. Como é que você fez, mãe? Ela a escutara, dissera-lhe para não se preocupar. Você vai ver, os dias parecem longos agora, mas em seguida eles vão encurtar e você vai retomar o pé das coisas, reencontrar a sua energia, vai relaxar e depois se esquecer de tudo isso. E ela não estava errada, tudo aconteceu como havia dito. Mas quando, apenas alguns dias mais tarde, a mãe ligara para saber notícias de Claire, somente de Claire, Solange se sentira desamparada. Mãe, sou eu que estou sofrendo, não a Claire! Ela compreendeu, de uma vez, que sua carne havia gerado outra, mais nova e vulnerável, que merecia todas as atenções de sua mãe. O cuidado havia pulado uma geração, e ninguém tinha avisado Solange.

Foram necessários alguns anos para ousar: Por que você me telefona sempre pra perguntar sobre os outros? E receber como única resposta: Eu te amo, minha querida. Não vejo a relação... E Solange se sentira ridícula reclamando.

Agora ela dizia mecanicamente que os filhos estavam bem. Laurent também. Relatava algumas curiosidades sobre a sua turma na escola, sobre o que fazia, mas o laço havia se afrouxado. Falavam sobre os últimos livros que tinham lido, das amigas da mãe, do que ela fazia com seu tempo livre desde que o companheiro morrera. Um AVC que brutalmente a tornara viúva alguns anos antes. Aquela morte não as aproximara, como secretamente Solange esperava. Não, a mãe preenchera sua vida de outra maneira. Por discrição, entende, e além disso eu não quero te atrapalhar, você já tem tanta coisa pra fazer. Solange sabia que ela estava sendo sincera, então não insistira e se contentava com o telefonema do domingo às onze horas e quinze minutos e com os dias em que ia visitá-la com as crianças. Sempre prometendo a si mesma de perguntar ao Thomas e à Claire, sempre, não importando nem a idade nem a afinidade que tiverem, perguntar sempre como eles estão, olho no olho, fazendo-os sentir que ela estará sempre ali, sem ser uma passagem, que não se é a carne do outro, mas a sua própria, sem escapatória.

Faz uma hora que Laurent está sentado na cama. Eles acabaram de partir. Um fim de semana prolongado e uma extraordinária liberdade se oferecem a ele. Está sozinho. Porém, naquele ambiente tão familiar, tem a impressão de que cada objeto o julga. Em cima da cômoda, uma foto do casamento; no chão, ao lado da cadeira, os sapatos que Solange esqueceu de guardar. Laurent pode ver o corpo inteiro que veste aqueles sapatos e que se movimenta. A presença de Solange o perturba terrivelmente. Ele jamais se travestiu dentro de casa.

Sempre o fez de maneira furtiva, dentro do carro ou no banheiro do Zanzi, mas não aqui. E o ato que está prestes a consumar, porque ele sabe bem que não conseguirá resistir, significa uma grande traição, não somente em relação à sua família, mas a ele mesmo. Sabe muito bem que, se Mathilda pisar o chão da sua casa, ele estará lhe concedendo um poder sem precedentes.

Envia um SMS a Cynthia:

Estou perdido, enquanto deveria me sentir livre.

Ela não responde logo. Ele fica olhando para o celular, os minutos passam, e quando enfim a resposta aparece na tela, ela é fustigante:

Você é livre, só precisa que se decida por esta liberdade.

Exasperado, ele atira o telefone no chão. É muito simples para você escrever isso, você já está do outro lado, eu não tenho nem coragem de me olhar de frente.

Vai até o banheiro e se observa diante do espelho. Os olhos ele conhece, o nariz, está pouco ligando; porém a boca, ela é feia, horrivelmente feia, pouco carnuda para ser a boca da mulher que imagina, os lábios muito finos, apertados, ricto severo. Ele baixa a cabeça. Sente pontadas de dor nas articulações, se agarra à pia, depois olha de novo: maçãs do rosto pouco proeminentes, a barba que cresce espessa, um halo cinzento sob a base no rosto. Os cabelos são a única coisa de que gosta. Uma melena abundante, os fios espessos. Se ele deixasse crescer, teria uma bela cabeleira — ao contrário de Cynthia, quase careca desde os vinte e cinco anos e que sonha em fazer um implante e jogar todas as perucas no lixo. Ele observa as têmporas, alguns fios brancos. Nenhuma importância, seus cabelos são bonitos, e ele será feliz graças a eles.

Desce até a sala, abre as portas do armário do bar, apanha uma garrafa de rum haitiano. São recém onze horas da manhã. Mas e daí?

Dois copos depois, Laurent se sente francamente melhor. Seus gestos são desprendidos, e os objetos, que antes o julgavam, agora ignoram por completo a sua presença. Mathilda já não está tão longe. Ela está mesmo bem próxima.

Ele vai até a garagem, tira a maleta do carro, de passagem se serve de um terceiro copo de rum e sobe para o quarto. Guarda os sapatos de Solange e desliga o celular. Laurent quer ficar sozinho junto com ela.

Põe a maleta em cima da cama, puxa o vestido de seda todo amassado, manchado. Vai ser preciso lavá-lo. Ele cheira a calcinha, o sutiã, as meias que lhe servem de enchimento, as meias-calças — adora as meias-calças, as acaricia. Do bolso da maleta, tira pequenos saquinhos de plástico onde estão dobradas delicadamente as calcinhas limpas. Escolhe a turquesa, cintura alta. São todas assim, a fim de bem calçar o seu sexo entre as pernas para escondê-lo. É esse gesto que permite todo o resto. Uma vez de calcinha, o púbis liso, tudo é possível. Na ponta dos pés, ele desce para buscar o rum e volta a subir com a garrafa na mão. Ela não vai sobreviver ao fim de semana.

Bebendo um gole direto no gargalo, ele olha o vestido e de repente o acha horrível. Abre a parte do armário do lado da Solange, poucos vestidos. Ela está sempre de jeans e camiseta. É prático, com as crianças. Não experimenta as calças. Ele quer um vestido. Tem um pendurado, nunca usado, aliás, presente de um aniversário, ainda com a etiqueta. Um vestido preto, corte reto, mangas curtas, descendo até o meio das coxas.

Laurent toma um grande gole, ele nunca pôs nada que pertencesse a Solange. Aquele vestido novo é como se fosse neutro. Neutro é que não sou, sou uma mulher. Limpa a boca com o dorso da mão, arranca a etiqueta, veste o sutiã, coloca o enchimento. As meias de náilon envolvem minhas pernas. Muito delicadamente, para não correr o risco de puxar um fio, eu as desenrolo, prendo-as nas coxas, acaricio com um gesto rápido minha calcinha, a seda tão macia. Faltam apenas os sapatos, que esperam na maleta. Mas antes ele quer se ver, vai até o corredor e se olha no espelho de corpo inteiro. Estou linda, o vestido negro me dá muita presença. De repente parece ter febre, procura a garrafa. Deveria ir com calma, se quisesse se maquiar de modo correto.

Hoje ele deseja usar a maquiagem de Solange. Ela não tem muita coisa, então vai complementar com a sua.

Loção brilhante, base preciosa, pó luminoso, blush púrpura, lápis negro profundo, sombra nacarada, cílios postiços, rímel intenso, lábios polpudos carmesins, perfume Chanel nº 5.

Mathilda resplandecente.

Depois da maquiagem tem a peruca loira. Sintética, com fios que se embaraçam, mas de boa qualidade. O efeito, sobretudo de longe, é convincente. Laurent sempre soube que era loiro. Prende-a com a ajuda de alguns grampos de cabelo. Ela se descola um pouco na altura da testa, mas hoje isso não tem a mínima importância. Está com pressa, quer pôr os calçados e caminhar pela casa. Só isso. Percorrer cada um dos cômodos, sentar-se nas cadeiras, deixar nelas a marca da bunda da Mathilda. Ver aquele ambiente com os olhos dela.

Enfim, ela está pronta, penteada, calçada. Deixa tudo desarrumado, cuidará daquilo mais tarde. Vai primeiro ao quarto da Claire, senta-se na banqueta junto à mesa, gira várias vezes em torno de si mesma, depois observa os bichinhos de pelúcia em cima da cama, lado a lado com Victor Hugo, caixinhas de bijuterias, cartazes de *Twilight*. Adolescente entre duas fases, que não demora vai sair daquele quarto com saltos tão altos quanto os dela. Minha filhinha querida, como fiquei maravilhado no dia em que você nasceu. Eu me tornava o pai de uma menina. Você seria o que eu não era. Mathilda se deita na cama, abraça uma boneca, contempla o teto, a janela, o ponto de vista que Claire tem de seu quarto. Eu vejo o que você vê.

Depois vai ao quarto do Thomas, a bagunça é total. O chão repleto de roupas atiradas, livros, revistas, CDs, folhas com a matéria das aulas. A muito custo se percebe a cama. Há um ano Thomas decretou que mais ninguém deveria entrar no seu quarto, muito menos sua mãe, para arrumá-lo. Entendeu, mamãe?

Mathilda abre passagem entre uma bola de futebol, um console de videogame e uma toalha de banho. Ela pensa no imenso circuito de trem que eles haviam construído juntos, que serpenteava por todo o quarto, nas horas passadas acionando os desvios dos trilhos e rindo dos descarrilamentos. Ela ouve a euforia de Thomas como se fosse ontem. O tempo e os descarrilamentos são dela agora...

Mathilda tem fome, desce até a cozinha, apanha uma pizza na geladeira e a põe para aquecer no micro-ondas. A massa fica quente e mole. Não importa. Ela come de pé, empoleirada em seus saltos altos, se perguntando se o seu olhar é diferente do de Laurent. Não, não é. Eles são uma. Uma só e mesma pessoa, um mesmo passado, apenas um corpo que não é o bom corpo. Mathilda sente as lágrimas vindo, a revolta brotar, mas logo se recompõe. Ela tem três dias para ser feliz e vai aproveitá-los até o último minuto.

No primeiro dia ela passeia de cômodo em cômodo, esvazia escrupulosamente a garrafa de rum, não sai de casa, fica sozinha. Quando chega a hora de ir dormir, está completamente bêbada, não tira a maquiagem e decide dormir só de calcinha e com a peruca. Os sonhos vêm, os grampos a incomodam.

Quando Laurent acorda no outro dia, a cabeleira loira está no chão, junto à cama. Ele toma um banho, engole duas aspirinas na esperança de cortar a dor de cabeça e repete exatamente os mesmos gestos da véspera: calcinha, sutiã, meia de náilon, vestido, peruca, sapatos.

Arrumada, Mathilda vai preparar vários cafés bem fortes com pão de sanduíche torrado. Quando se sente um pouco melhor, escolhe uma garrafa no bar. Hoje: uísque japonês.

O segundo, e depois o terceiro dia passam entre música, comida esquentada no micro-ondas, programas idiotas na televisão, comentários solitários se perdendo ao longo das horas e dos copos. Seu corpo agitado está em absoluta contradição com o que ela sente interiormente. Um vazio se criou, um imenso espaço para os acolher, Laurent e ela. Eu sou uma. Eu danço e sou uma. Bebo e sou uma. Nada consegue parar isto que cresce, que invade minha pele como uma explosão surda.

No fim da tarde do terceiro dia, Mathilda constata o estado em que está a casa: roupas atiradas, pratos sujos, copos vazios, xícaras de café frio empilhadas. Meticulosamente, então, ela limpa, arruma, alinha tapetes, poltronas e mesa, lava, enxuga e arruma a louça, passa um pano no chão, sempre de salto alto, sempre de vestido preto. E não demora Mathilda sai com o saco de lixo na mão, atravessa o jardim para depositá-lo no contêiner da rua.

Ela passa por Victor, o vizinho, cumprimenta-o, sem se dar conta nem da roupa e nem da peruca, que aliás pende um pouco para a esquerda. Victor olha para aquela figura sem saber de quem se trata, depois exclama:

— É você, Laurent?

Mathilda congela, se dá conta da incongruência da situação, quase torce o pé e balbucia:
— Sim, sim... Uma festinha à fantasia com os amigos!
E sai meio correndo.

Solange e os filhos voltaram. A casa se enche de seus risos, seus gritos, relegando ao silêncio Mathilda e sua embriaguez, Mathilda e suas travessuras.

À noite, ao se deitarem um junto ao outro — Laurent de pijama e Solange nua —, eles se abraçam demoradamente. Aquele gesto cotidiano marca o fim do dia, a cisão que os leva à noite. E todas as noites, enquanto Solange se aninha contra seu corpo, Laurent sussurra no ouvido dela que a ama, beija-lhe a testa e as pálpebras fechadas, acaricia-lhe as costas, percorre cada uma de suas vértebras, conhecendo de cor seus sobressaltos, o caminho sinuoso, a curva na base das costas e o cóccix que termina lá no fundo. Desde muito tempo ele percorre aqueles caminhos. Sempre a mesma suavidade, o mesmo arrepio quando deixa as costas e se aproxima das coxas. Um suspiro infantil escapa da boca de Solange. Laurent adora o corpo dela. Às vezes lhe diz: Eu queria ser você, queria ser seu corpo... E Solange não desconfia do que se esconde por trás desse desejo. Um desejo feito de encantamento e de frustrações. Um mundo inteiro sob a pele de Laurent, um mundo tão próximo que poderia estar ao alcance das palavras, mas cada um permanece confinado em si próprio, incapaz de falar.

O abraço é suave, e Solange se aperta um pouco mais contra aquele homem. Ela gosta da sua delicadeza, do cuidado que ele tem com ela e daquela polidez tão rara. Apesar do desejo já ofegante, ele é seu companheiro de estrada.

Acompanhou a gravidez de todos os filhos com a maior das atenções. O corpo de Solange se transformando o maravilhava. Estivera junto em todas as ecografias, haviam praticado a haptonomia para que Laurent sentisse em suas mãos a criança se mexer. Ele acariciara sua barriga, encostara o ouvido nela, buscando cada ruído, cada sinal. Seu corpo é único, Solange. E ela se enternecia ao vê-lo assim, sem imaginar o que ela despertava nele. Aliás, ele próprio não sabia, notava apenas um formigamento furtivo, consequência da admiração que sentia por aquilo que ela levava a cabo, daquele amor sem fim que o fazia repetir sempre: Esta criança, eu a carrego com você, com todo o meu corpo. E as crianças tinham nascido, uma após a outra, perturbando a tranquilidade em que Laurent e Solange tinham se instalado, transformando-a em um caos vivo e ruidoso, esmagando o formigamento, deixando-o na surdina durante anos, até chegarem as dores, até Mathilda, Cynthia e aqueles três dias.

Ainda naquela noite o sono os apanha colados um ao outro. Respiram um no rosto do outro até o despertador tocar às sete horas. Enquanto Laurent toma banho, Solange se espreguiça, aproveitando ainda por alguns minutos a cama quentinha.

Mas em seguida ela se levanta, acende a luz para escolher as roupas. Abre o armário, puxa uma calça jeans e um pulôver. É ao virar a cabeça em direção à cama que ela percebe um reflexo metálico. Primeiro se pergunta o que seria aquilo brilhando no chão, depois se aproxima, se agacha, deixa as roupas em cima da cama. Quando ela apanha o grampo, seus dedos começam a tremer. Longos fios de cabelo, embaraçados, loiros.

Ele está me traindo. Os sentimentos de Solange formam uma espécie de pedra bastante densa, bastante pesada, em sua barriga. Sob o pretexto de uma dor de cabeça, ela toma o café da manhã sem dizer uma só palavra e vai para a escola. Passa três dias assim, como em estado de transe. Seus gestos cotidianos são feitos automaticamente, sem que ela dê por isso. Consegue comer e falar, apesar da boca sempre seca. Porém, é impossível dormir.

Fazia quanto tempo que não se sentia aterrorizada àquele ponto?

Lembra de quando soube que estava grávida pela primeira vez, das mãos tremendo ao ver as duas faixas azuis. De repente, tomada pelo pânico, lera várias vezes as instruções do teste. Um traço: nada. Dois traços: grávida. Confundir, reler, virar o verso do folheto, ter medo.

O medo de agora é estéril, destila um suco ácido que lentamente se propaga, bloqueando qualquer acesso ao sono, engatando a roda das recordações, uma infinidade de fotos que desfilam sob seus olhos cada vez que ela os fecha. Vêm em ordem aleatória sem que ela possa controlar o fluxo. Contra a sua vontade, o cérebro fez um estoque extraordinário daquelas fotos durante todos estes anos. E de repente as imagens surgem sem avisar: sua turma dos pequenos na escola, Thomas pequenininho, sua mãe, seu quarto da infância, Laurent mais jovem. Às vezes, também, o grampo e os fios de cabelo, e então tudo se fixa em seu cérebro. Depois passa. E vem de novo.

Tem a impressão de ter sido propulsada há três dias em um túnel estreito e gelado. Nada a fazer a não ser se perguntar se houve um momento decisivo, alguma coisa em que eles erraram, eles todos, a família, ou se aquilo não é apenas uma loteria absurda, uma fatalidade loira que cai no seu colo.

Solange resiste, se perde por vezes em longos devaneios, e volta a si tão logo se dá conta de que devaneia. Reencontrar seus alunos no maternal, a ingenuidade e bondade das crianças a confortam. Os sorrisos, a inocência, até seus gritos lhe fazem bem. Vocês são crianças, vocês não traem. Ainda não.

Estranhamente Solange também consegue esquecer quando estão os quatro à mesa. Não sabe se é aquele ritual imutável das refeições que a acalma, mas consegue ser ela mesma, falar com Claire e Thomas, com Laurent. Ela o observou bastante nos últimos dias e reconhece que, salvo o fato dele estar mais magro, não há nada de diferente em seu comportamento. Sempre carinhoso, ele a abraça todas as noites, acaricia-lhe os cabelos com ternura, nenhuma duplicidade em seu olhar. Como ele consegue?

Na véspera ela vasculhou o computador e o celular dele. Nada. Solange pensou bastante no dia a dia de Laurent, na sua agenda, e concluiu que o único momento de liberdade que ele tinha era durante os treinos. Deve se passar nesse momento. Nesta tarde, depois do trabalho, ele vai à academia, sábado também. Ela vai segui-lo, encontrará um pretexto qualquer para dar às crianças.

Ontem, Laurent lhe perguntou:

— Está tudo bem, Solange? Você está pálida.

Ela se retesou de um salto, não conseguiu se conter. Aquele movimento brusco despertou o medo. Balbuciou que estava com dor de barriga há alguns dias. Mas nada grave, pode ficar tranquilo. Laurent insistiu:

— Se isso continuar, vai no médico, você não parece mesmo muito bem.

Você não tem mais nada pra me dizer?, ela tem vontade de gritar.

Solange é levada pelo desejo de apanhá-lo em flagrante. Então tudo explodirá, a casa, o teto vai voar em pedaços, as paredes despedaçadas e os cacos de vidro. Os corpos deles quatro, projetados longe no jardim.

Na quinta-feira, Solange não viu nada. Laurent entrou e saiu da academia na hora em que disse. Agora são dezesseis e trinta de sábado e Laurent acaba de sair de casa.

Solange lhe deixa uma dianteira. Pela discrição, ela havia pedido emprestado por um dia o carro de uma colega e o deixara estacionado em uma rua mais afastada. Ela dá a partida e logo visualiza o carro de Laurent na rotatória que leva para o centro da cidade. Ele não pega a primeira saída, mas a terceira. Vai para outro lugar. O coração de Solange começa a bater mais forte. Ela hesita em dar meia-volta, sente muito medo, mas continua, deixa passar dois carros entre eles, percebe que Laurent sabe exatamente aonde vai. Nenhuma hesitação na sua maneira de conduzir. Ao fim de quinze minutos, ele dobra e para em um estacionamento. Ela espera, antes dela própria estacionar.

Quando desliga o motor, só tem o tempo de vê-lo apanhar uma maleta no porta-malas e entrar em um bar. Acima da porta dupla de vidro, um nome em neon verde: *ZanziBar*. Solange nunca tinha ouvido falar daquele bar. Ela se agarra ao volante. Está no lugar certo. Começa a espera.

Chegam dois outros carros. Surgem alguns homens, mas sobretudo mulheres. Altas, saltos vertiginosos. Solange se dá conta que ela não poderá entrar lá dentro vestindo jeans e tênis. Vai ser preciso esperar ali fora. Algumas dezenas de pessoas já passaram pela porta, e então o fluxo se esgota.

Às dezoito horas ela ousa enfim sair do carro para se aproximar. Os baixos saturados da música que vêm lá de dentro fazem vibrar as paredes e as chapas de zinco. Há alguns cartazes na porta envidraçada, mas nada de muito explícito. Somente horários. Fica sabendo, então, que a festa hoje termina às vinte horas.

Começa a chover, ela retorna para o carro e apanha na bolsa um maço de cigarros. Comprou à tarde, faz mais de dez anos que não fuma. Permanece fora do veículo, apoiada na porta, o rosto sendo tocado pela bruma. Acende um cigarro, aspira demoradamente a fumaça, quase tem um acesso de tosse e calcula que se fumar um cigarro a cada seis minutos, quando chegar ao último serão vinte horas e Laurent vai aparecer. Que ele esteja acompanhado ou não, ela o espera.

No décimo segundo cigarro tem outra ideia: inspecionar o carro de Laurent, já que ela tem uma cópia das chaves. Primeiro o porta-malas. Vazio. Em seguida, destranca a porta traseira, abre a mochila com as roupas de treino, que está sobre o banco. Um jogging e as roupas de ciclista de Laurent. Nada de interessante, nada também no chão. Ela senta no banco do motorista, segura o volante, se pergunta o que Laurent pode ver de diferente dali. Põe a chave, liga o rádio — as notícias —, desliga-o em seguida. No painel, o relógio marca dezenove horas e vinte e três minutos. Ela percebe uma primeira pessoa saindo do bar. Resvala no banco, não quer ser vista, depois se instala atrás, ao lado da mochila. Vai esperá-lo ali.

São vinte horas, Mathilda e Cynthia abrem a porta do Zanzi abraçadas pela cintura. Elas riem. Mathilda acompanha a amiga até o carro dela. Conversam ainda um pouco e se despedem com dois beijinhos. Mathilda, com a maleta na mão, dirige-se ao seu automóvel.

Solange não reconhece Laurent. Ela vê cabelos loiros que se encaminham até onde ela está. Loiros como os do grampo. Encolhe-se ainda mais no banco.

Mathilda entra no carro, põe o disco de Melody Gardot, escuta e canta, tamborila sobre o volante, ainda não quer tirar a maquiagem.

My soul is wearying
Beating down from all of my misery...
As horas no Zanzi fizeram bem para ela. Contou a Cynthia sobre o fim de semana passado sozinha. Sentiu-se encorajada pelo olhar da amiga. Você tem razão, seja você mesma! E Mathilda sorria. Ser você mesmo ali é fácil. Mas agora que ouve Melody Gardot, ela sabe que seus minutos estão contados. Então, pousa a maleta, tira o espelhinho e um lenço umedecido. É preciso tirar a maquiagem.

Solange já se ergueu e o observa pelo retrovisor.

Mathilda aumenta o volume. Primeiro lenço para as pálpebras, um segundo, um terceiro para limpar tudo.

Solange está paralisada, incapaz de qualquer movimento, de fugir, de gritar para ele que está ali.

Mathilda, fixa ao seu espelhinho, retira a base, vai jogando fora os lencinhos usados, arruma os cílios postiços no estojo, aguarda que seu rosto esteja perfeitamente limpo para retirar a peruca. Os grampos, um de cada vez.

As lágrimas escorrem pelo rosto de Solange.

De súbito, Mathilda percebe alguma coisa estranha dentro do carro. Ela se imobiliza no banco. Pensa, talvez tenha esquecido alguma coisa, descalça os sapatos, e para outra vez, escutando. A música continua a tocar, mas ela pensa ter ouvido uma outra respiração, e este cheiro de cigarro...

Instintivamente ela olha para o retrovisor.

Os olhos vermelhos de Solange a encaram.

Permanecem os dois imobilizados durante muito tempo. Os olhos de Laurent evitam o retrovisor, mas são continuamente chamados pelos de Solange.

A mesma música toca repetidamente no leitor de CD.

Solange tem os maxilares tensos, cerrados, os dentes colados, todo o seu corpo treme. O braço de Laurent ficou paralisado no ar, segurando um grampo. Após um longo momento, ele consegue colocá-lo em cima do banco do carona e, com um impulso do indicador, desliga o CD.

Agora só se ouve a respiração entrecortada de Solange.

Ela continua encarando Laurent e consegue relaxar os maxilares.

— Desde quando?

Laurent baixa os olhos. Como responder àquela pergunta? Ele próprio não sabe. De repente, Solange berra, esmurra o encosto do banco:

— Desde quando isso?

Laurent deixa ela bater. O torso salta para frente, projetado contra o volante a cada soco que Solange desfere no banco. Ele sussurra:

— Eu não sei.

Solange não ouve o que ele diz.

Logo os punhos se cansam, os golpes vão diminuindo. Ele diz mais alto:

— Desde sempre, eu acho...

— Mas por que você nunca me falou?

— Porque era impossível, porque tenho vergonha.

A última palavra ecoa dentro do automóvel. A respiração de Solange se acalma. Ele disse vergonha, vergonha. Agora ela olha pela janela. Ele continua a tirar a maquiagem. Deixaram de se olhar pelo retrovisor, há coisas que é preferível não dizer na cara.

— Achei que você estava me traindo. Encontrei embaixo da cama um grampo com cabelos da sua peruca.

A voz de Solange é branca, sem timbre, ela própria não a reconhece. É como se Solange se separasse dela mesma, surpreende-se observando as outras mulheres que entram em seus automóveis, compreende que se trata de homens. A chuva voltou, gotas escorrem sobre o para-brisa. Ela não diz mais nada.

Laurent puxa um novo lencinho e responde:

— Eu nunca te traí.

— Você se travestiu lá em casa, é isso?

— Sim, quando você viajou com as crianças, foi a primeira vez.

Quase todos os carros que estavam ali estacionados já tinham ido embora. Solange conta as vagas liberadas, quarenta e sete, conta de novo, exatamente quarenta e sete. Ela acha o bar sórdido, ainda mais com essa chuva. É triste, cinzento, é o outono.

— Você está doente, Laurent, é preciso se tratar.

Ele se volta com um gesto brusco.

— Não, não acho isso. Apenas sou assim. Preciso disto, é tudo, ponto.

Ele sente que seus argumentos são vãos. A peruca meio de lado e o rosto quase sem maquiagem o contradizem.

Ela o encara, seu olhar é duro:

— Olhe pra você, Laurent. Olhe pra você agora!

Ele arranca a peruca. Ela continua:

— Deve existir alguém que possa te ajudar. Um médico. Eu vou me informar.

Laurent não responde logo. Sente-se um idiota, ela ralha com ele como se ralhasse com uma criança. Gostaria que ela fosse embora para poder se trocar. Seria ainda mais humilhante se ela o visse se contorcer todo dentro do carro para tirar o vestido e colocar as roupas de ginástica. Ele deseja que aquela conversa acabe.

— Tudo bem. Se você quiser...

E acrescenta, após uma breve hesitação:

— Eu gostaria de me trocar antes de chegar em casa. Você veio de carro?

— Sim.

— Então a gente se encontra lá e fala disso depois.

Solange sai, batendo a porta.

Laurent se agarra ao volante. Seu corpo é atravessado por espasmos. Tem vontade de vomitar, procura um saco plástico, não encontra. Busca respirar, se acalmar. A náusea se dissipa. Desejara tanto saber dizer, e em grande estilo. Olhar para Solange com um sorriso e anunciar: Sou uma mulher, e tudo vai correr bem. Esperou tempo demais, e a bomba explodiu no seu colo.

Liga o som de novo, ouve Melody Gardot com tristeza. *Oh Lord who will comfort me?*

Vê o carro de Solange lhe fazendo sinal de luz. Não responde, apanha a mochila com as roupas no banco de trás e se troca. Junta os lencinhos usados, dobra o vestido, arruma as meias, calcinha, sapatos e peruca dentro da maleta. Tudo em ordem. Está fantasiado de ciclista.

Meio anestesiado, dirige até em casa. No seu espírito se misturam a música do Zanzi, o riso das meninas, a imagem de Mathilda e Cynthia se despedindo com dois beijinhos no estacionamento, e Solange, que já devia estar observando, a despreocupação com que ele se aproximou do automóvel, o começo da retirada da maquiagem e, de repente, o olhar fixo nele, aquele olhar enfurecido, e o coração que ficou apertado.

Ele cruza o portão e estaciona na entrada da garagem. Solange já chegou, as luzes do térreo estão acesas. Ele tem vontade de fugir, de não enfrentar, de ficar sozinho. Sozinho para sempre.

Doente eu não sou, ele pensa. Isso não.

Envia um SMS para Cynthia:

Solange estava dentro do carro. Ela me viu. Pensa que sou doente.

A resposta aparece quase imediatamente:

Agora você vai poder avançar.

Laurent e Solange passam noites inteiras conversando, cada um apoiado em seu travesseiro, sem se olhar. Em vez disso, ficam olhando para a parede onde a tela plana da tevê está fixada, inútil e muda após a revelação.

O diálogo não é propriamente um diálogo. Sobretudo é Solange que pergunta sem parar, que incita, que questiona a vida em comum deles, até ali tão tranquila. Quem você é de fato? Você gostaria de ter sido a mãe dos seus filhos? Incongruência da pergunta, complexidade da resposta: Eu sou o pai deles, mas sou uma mulher. À incompreensão se junta o rancor. Ao passo que nunca tinham se dito uma só palavra mais forte, nenhum sinal de impaciência, sempre uma bem-aventurada ternura, na qual Laurent nunca teve a impressão de mentir. É verdade que ele não falou de Mathilda, mas em que aquilo muda a sua presença no seio da família?

Ele se vira para ela, olha o seu perfil imperturbável e repete:

— O que é que muda, Solange? Diz pra mim. Será que isto faz de mim um mau pai, um pilantra?

Ela permanece impassível, sempre com os olhos fixos na tela negra à sua frente:

— Muda tudo, Laurent. Muda tudo.

Decidiram não falar nada aos filhos. Laurent é absolutamente contra, e Solange quer primeiro tentar a via da cura.

Ela faz de tudo para achar um médico. Pensa em algum psiquiatra, telefona para o Hospital Universitário, é repreendida pela secretária. É o seu marido quem tem que fazer esta solicitação, senhora.

Um sexólogo talvez? Ela passa horas e horas pesquisando na internet, se enreda nos comentários absurdos dos fóruns, testemunhos que a colocam dentro da vida dos outros. Um mundo cuja existência ela ignorava. Pensava que histórias daquele tipo só aconteciam aos outros, aos que viviam marginalizados ou então sofrendo de graves problemas psicológicos. Mas não ao seu marido. Não. Laurent é um homem. Sim, um homem, ela insiste, equilibrado, inteligente, nenhum desvio. Ela vai lhe explicar. Ele sempre a escutou.

Um nome constante nos fóruns: Daniel Morel, psicólogo com consultório na cidade. Faz milagres. Por "milagres", entenda: fazer o paciente compreender que o sexo do qual é dotado é exatamente o seu. Simples de dizer e de ler. Falta convencer Laurent de que ele não tem escolha, que deve consultar, e que ele será libertado da outra, a intrusa.

Solange se deu uma missão: devolver Laurent a ele próprio. Vai conseguir. E ele vai se ver novamente tal como ele é. Não é possível que ela tenha se enganado durante tantos anos. E é tomada por uma vertigem ao imaginá-lo vivendo em uma pele errada, um corpo errado, o sexo errado.

No decurso de uma daquelas noites, quando recém tinham terminado de conversar, as palavras ainda reverberando, ela tem um pesadelo que lhe embrulha o estômago.

Solange está sentada em um teatro que põe gente pelo ladrão. O palco está escuro, muito escuro. Ela se acotovela com as outras pessoas para encontrar um lugar, é quase esmagada pelos que estão ao seu lado. Todos querem assistir ao espetáculo. O artista, mágico, titereiro não é ninguém menos do que o doutor Morel. Tão famoso que a sala está repleta. Um facho de luz agora ilumina o centro do palco. Rufar de tambores. Ele entra, capa negra, bigode engomado, olhar penetrante reforçado pelo lápis preto no contorno, portando uma imensa cartola ornada com uma cruz vermelha. É mesmo ele. O público começa a gritar, batendo os pés: "Morel, Morel, Morel!". Solange grita junto.

Com um gesto da mão, Morel exige silêncio e, enquanto todos os olhares estão voltados para ele, uma pantera aparece. Ela é negra e está encilhada. Atravessa a cena puxando um baú. Seus movimentos são suaves, leves, apesar da carga. Se aproxima devagar de Morel, depois se deita aos seus pés. A beleza do animal hipnotiza o público.

Com um gesto eloquente, Morel mostra a chave do baú. Uma enorme chave de ferro, que ele introduz na fechadura. Ouvem-se os vários cliques metálicos do mecanismo ecoando por todo o teatro. Ele tira do baú uma primeira marionete. Em tamanho natural, de pano e cera, articulada com a ajuda de fios invisíveis. Solange solta um grito. É Laurent. Nu. Um fantoche sorridente.

— Olhem pra ele! — diz Morel. — Olhem bem pra ele!

Ele passa a sua capa preta diante do fantoche, encobrindo-o. Quando a retira, Laurent aparece em carne e osso.

A capa passa novamente. De repente é Mathilda que está nua e que sorri. Ela exibe seus seios, suas coxas e seu sexo. A capa de novo, e assim por diante: Laurent, Mathilda, Laurent, Mathilda.

Solange acorda num sobressalto.

Laurent se pergunta como se deve estar vestido para uma primeira sessão com o psicólogo. Passa o dia no escritório a se colocar essa questão. Até mesmo trocou algumas palavras a respeito com Estelle. Não deveria. A curiosidade da amiga não o deixou mais em paz.

— Ah, é? Mas você não é tão feliz com a Solange? Pensando bem, eu deveria ter desconfiado... Todo esse silêncio, todo esse nada a dizer. Teve alguma coisa que deflagrou? Porque sempre tem alguma! A gota d'água, o grãozinho de areia, aquela coisinha que faz tudo vir abaixo...

Laurent apenas lhe disse:

— Hoje eu vou ao psicólogo, eu e Solange passamos por um período difícil e queremos nos dar todas as oportunidades para superar isso.

Se ele soubesse, não teria falado. Os olhos ávidos e as perguntas incessantes de sua amiga o perseguem. Ele responde por monossílabos, tenta cortar logo a conversa dizendo que mais tarde fala daquilo, que por enquanto tudo é muito vago.

Mas ela continua:

— Que alívio saber que você tem problemas também! Eu me sinto menos sozinha. Você se dá conta de que parecia irreal a história de vocês? Se conhecer ainda jovens, os filhos, a casa, a tranquila felicidade, os humores iguais. É completamente deprimente, não? Então você vai a um psi-

cólogo? Nunca pensei, mas talvez seja a solução pra mim também. Falar, entender, explicar...
Laurent fica olhando para ela, aturdido. Vai ser difícil mantê-la à distância o dia inteiro.

Voltando para casa no fim do dia, ele se pergunta por que o doutor não veria Mathilda em vez de Laurent. É ela que causa o problema, não é? Ele imagina a cara do psicólogo conferindo a agenda, sem entender ao vê-lo chegar, uma Mathilda sublime sob o nome de Laurent Duthillac, que apertaria a sua mão com um gesto firme: "Sou eu mesma!". Que entrada magistral para começar uma terapia! Laurent imagina tudo aquilo, mas ele não o fará. Ele irá à sessão vestindo jeans, um blusão de gola alta, sapatos pretos. Laurent de todos os dias, Laurent chave mestra.

Ele tem uma meia hora em casa antes de sair para a sessão. Solange está lá, inquieta, persuadida de que tudo vai ficar bem, que essa rápida providência vai tirá-los do impasse. Está orgulhosa de não ter tido medo, de ter se atirado de cabeça no caminho da cura.

— Você está com uma boa aparência — ela lhe diz, entusiasmada.

Ele a olha com ironia.

— Obrigado pelo incentivo.

Claire também está presente, ignorando tudo o que está em jogo entre os pais. Algum problema? Não, não, está tudo bem, minha querida.

Laurent conhece perfeitamente a rua do consultório do doutor Morel. Fica no centro da cidade, uma rua comercial, porém, ele se perde, confunde os números, tem de voltar atrás para enfim chegar em cima do horário marcado, transpirando. Passa as mãos nos cabelos para ajeitar um pouco a aparência e, um tanto trêmulo, toca o interfone.

— É Laurent Duthillac.

Após três andares pela escada, o aperto de mão é franco e cordial. A roupa do doutor é ao mesmo tempo descontraída e bem cuidada: calça de veludo cotelê verde-escuro, camisa cor de vinho com mangas dobradas e um cachecol em torno do pescoço. O homem tem carisma, Laurent compreende o seu sucesso.

Eles se acomodam em um pequeno ambiente aconchegante, com tapetes, marinas do século 19 na parede, cortinas brancas na janela, lâmpadas discretas. Definitivamente o lugar se presta às confidências. Duas poltronas idênticas estão frente a frente. Ao lado de uma delas, uma pequena mesa com uma caixa de lenços de papel. Será o lugar de Laurent.

Após breve troca de banalidades a respeito do tempo e do bairro, o doutor se senta confortavelmente, o bloco de notas no colo. Ele sorri, Laurent está teso. Apesar dos incentivos de seu interlocutor, Laurent não sabe por onde começar. Uma recordação? Uma imagem de minha infância? Ele conta do jardim, dos almoços de domingo, sempre o cheiro de churrasco, o cãozinho que corre junto às suas pernas. Quantas vezes eles caíram, rolando! Sua solidão também, filho único, os pais velhos. Era sobretudo do jardim que ele gostava, a grama... E de repente:

— É verão, estou vestindo só uma camisa, nada mais. Ela é vermelha, me lembro perfeitamente. Sento na grama. Sinto as folhas em contato com minhas nádegas. De repente tenho vontade de defecar. E ali, na grama, eu faço. Minha mãe não está muito longe, ela se aproxima, me pergunta o que há, e começa a gritar. Grita dizendo que é sujo. Mas para mim aquilo é agradável. Não compreendo nem suas palavras nem sua cólera, mas minhas pernas se fecham, se cruzam. Eu não quero ver mais, não quero ver mais nada. Desde então eu mantenho sempre as pernas cruzadas. Impossível sentar no vaso de outro jeito. Eu me escondo.

A primeira sessão com o doutor Morel não desagradou a Laurent. Ao contrário, ele se sentiu bastante confiante para falar de si próprio, o que, na sua vida cotidiana, acontece muito raramente. Solange sempre o chamou de "o caladão", apelido ao mesmo tempo justo e que fechava a questão. Mas Laurent conserva esse papel, preza-o às vezes, de tanto que encontra ali um conforto. Eu sou exatamente a imagem que fazem de mim. Sou como cada um dos quatro, à mesa do jantar. Movimentos de mãos, exclamações coreografadas, um teatro onde as emoções se esgueiram entre as palavras, onde o essencial nos trespassa para além do que é dito. Nós nos conhecemos, lemos as expressões de nossos rostos, todas elas fazendo parte do dicionário familiar. Somos ingênuos apenas quando queremos ser.

Durante a sessão, Laurent gostou de falar. Sentiu justamente que seu corpo estava em concordância com o que ele exprimia. Irá de novo, a próxima sessão já está marcada. Observou o doutor escrever o seu nome em uma agenda com capa de couro, de cor alaranjada, de luxo, nada de computador naquele consultório à moda antiga. Uma caneta que anota sobrenomes em grades horárias. São tantos a buscar consultas! Laurent tem a impressão de entrar no labirinto obscuro do Diga-me tudo sem pudor nenhum! Você está aqui porque tem problemas. Você não é o único, uma outra pessoa está esperando logo a seguir.

Quando o portão do prédio se fecha atrás dele, Laurent vagueia por alguns minutos, passa diante das vitrines de butiques ainda iluminadas, olha sem ver, sobretudo se pergunta por que ele evocou aquela lembrança. De fato, ele sempre cuidou para fechar a porta dos banheiros, preocupado com não ser surpreendido naquela posição que ele próprio julgava despropositada: sentado, de pernas cruzadas. Mas por que falar disso com o psicólogo, ao passo que ele nunca falou a respeito com Solange? Eles não conversam sobre coisas do corpo. Nunca uma ducha juntos, muito raramente banhos de imersão, e essas lembranças não lhe trazem nenhum prazer. Cada um cuida do seu corpo — fluidos e pele inclusive. Ele afasta todo pensamento que concerne a eles. Prefere se concentrar no que sente quando fecha os olhos, à noite, naquela suavidade — tão distante da rugosidade de sua barba — do interior de seus joelhos angulosos, das panturrilhas desenhadas pelas muitas horas de ciclismo. Aquele interior curvo, feito de veludo e de néctar, escorregadio, derrapante. Ele o vê de maneira tão clara à noite, pálpebras fechadas, no silêncio da casa. E isso o leva ao sonho de sua infância, sempre o mesmo.

Da sensação que o acompanhava surgia uma graça inexplicável. Uma leveza repentina que o deixava trêmulo, o elevava acima dos lençóis tanto quanto persistia a imagem: ele, seu rosto, sua boca, seu nariz, sua pele, tudo lá, menos o seu sexo, que está esfumado. Sem o sexo, ele se eleva acima de qualquer definição. Ele é outro.

Nas noites daquele sonho delicioso, a criança fica em êxtase até de manhãzinha e, para prolongar aquela doce sensação, apanha a bicicleta e vai até o viaduto sobre a autoestrada. Um laço poderoso une o sonho àquela ponte.

Ele vai até lá, febril, o vento na cara, pulmões cheios daquele ar novo, reminiscência da leveza da noite, pedala a toda velocidade, atravessa os campos, escuta o rumor dos carros que se intensifica, que toma conta do espaço inteiro quando ele chega ao destino. Nada de rio nem de margens, nenhuma garça, borboleta, rã, pato ou coruja, mas o fluxo contínuo de automóveis, a velocidade constante, as cores variadas.

Do alto do viaduto, Laurent olha os veículos que passam, não os conta, encara-os como um fluxo que, sob seus pés, desliza para finalmente levá-lo para longe, em direção à linha do horizonte. Seu corpo desaparecendo, então, na torrente de carros, para não ser mais do que a expressão volátil de seu sonho.

A criança encosta a bicicleta na balaustrada de ferro. Apoia uma das mãos no guarda-corpo e, com a outra, abana sem parar para os carros. O movimento de seu braço é constante, mas de longe não se vê o sorriso que lhe ilumina o rosto. Os motoristas estão concentrados, os passageiros se surpreendem ao vê-lo sozinho, lá em cima, mas ninguém está próximo o suficiente para se deixar fascinar pelo brilho do sorriso. A criança saúda seu sonho e a promessa que o acompanha.

No decorrer das sessões, Laurent acaba acreditando que vai conseguir controlar Mathilda, deixá-la no interior, no quentinho. O psicólogo delicadamente o faz compreender que de fato há uma esperança, que Mathilda é a expressão de outros traumas, antigos, com frequência ligados à sua mãe, que ela é como uma expressão exagerada dele próprio, uma caricatura. Laurent é, em tudo, um homem, e vai se dar conta disso em seguida. A certeza do doutor o conforta.

É a primeira vez em sua vida que ele fala assim, tão abertamente, de seu desejo de ser mulher. Esta afirmação, e o que ela traz de libertação, dá a Laurent uma leveza inusitada. Está convencido de que, ao declarar esse desejo, ele poderá melhor reprimi-lo. Não desconfia nem do erro em que incorre nem do espaço extraordinário que, agindo assim, ele oferece a Mathilda.

No trabalho, Laurent se sente mais brincalhão com os colegas. Uma segurança desconhecida, que lhe permite rir, se abrir mais livremente do que antes. A Estelle diz que vai melhor, que eles vão melhor, que a terapia está lhe fazendo um bem incrível, que ela deveria experimentar também e que, com certeza, ela ficaria encantada com o doutor Morel. Estelle anota o endereço, vai telefonar, ela está curiosa, mas por enquanto encontrou alguém através de um site na internet:

— Um cara legal, eu acho que desta vez é o cara, eu gostaria de falar sobre isso com você no chinês mais tarde... Quanto a Morel, vou ver depois...

— Curta a sua felicidade — Laurent se ouve responder, espantado por dizer esse tipo de frase com tanta sinceridade e empatia.

E inclusive acrescenta:

— Agarre a luz enquanto ela está lá.

Thierry, o chefe deles, também nota a mudança de Laurent. Quando da reunião semanal de quinta-feira de manhã, intitulada "Cafeólica" (cruzamento aleatório entre café e eólica), ele diz que Laurent parece radiante.

— O que está acontecendo, Laurent? Está apaixonado?

Laurent não responde, apenas ri. Tem talvez um pouco disso, a alegria da descoberta de um outro que seria ele próprio. Vai falar disso na próxima sessão. Puxa o seu caderninho, escreve a questão após a longa lista já começada. De questões sua cabeça está cheia, elas se atropelam lá dentro. Nas primeiras semanas ele não as anotava e, uma vez sentado em sua pequena poltrona, já não se lembrava de mais nenhuma. Elas voltavam de repente, na escada, quando ele saía da consulta. Agora ele as relê antes de cada sessão. O doutor não quer que ele fique com o caderninho durante a sessão para não alterar "o frescor da espontaneidade". Na pequena sala, há apenas um caderno de notas possível, o do psicólogo.

Naquela manhã ele chega à sua mesa de trabalho levado por uma energia crescente. Sente-se pronto a enfrentar, Mathilda ficará tranquila. Acredita que pode conservá-la à distância. Na véspera ele escreveu um SMS mordaz para Cynthia:

Até aqui eu me enganei. Sonhei com uma mulher que eu não sou. Não vou mais ao Zanzi.

Depois foi se deitar e fez amor com Solange, a primeira vez após a revelação. Eles reencontraram seus gestos de ternura, Solange até chorou.

— Você está voltando, você está voltando — ela disse.

Cynthia não respondeu, e ele sentiu um leve aperto no coração. Ela não tentou retê-lo, não tentou convencê-lo de nada, como fazia com frequência. Mas em seguida ele se disse que daria a volta àquela decepção, que saberia tirar força dali. E o seu passo decidido ao chegar no escritório terminou por persuadi-lo de que sim, ele conseguiria.

O dia transcorre às mil maravilhas, cheio daquele vigor novo. Laurent trabalha. Diante de seu computador, ele envia e-mails, interpela os colegas a propósito do próximo colóquio parisiense sobre as energias renováveis. Essa determinação o acompanha até o momento em que uma publicidade se interpõe entre seus olhos e a mensagem que escreve. Uma calcinha surge na tela.

Um site em que já fez algumas compras lembra-o da existência da seda. Em um instante, a hábil fortaleza que ele se esforça em construir desaba, levando com ela argumentos, vontade, autoconvicção. Tudo se apaga diante do desejo. Desejo de tocar, de sentir a epiderme vibrar. As pernas de Laurent começam a tremer. Sua mão, paralisada sobre o mouse, não faz a imagem desaparecer. Ao contrário, ele a aumenta, circula em torno dela, revelando em pixels, graças à lupa, o grão extremamente fino do tecido.

De repente, sem poder controlar seu corpo que se ergue, Laurent veste a jaqueta, se aproxima de Estelle, diz a ela que acabam de telefonar do colégio, que Claire sofreu uma queda, que ele tem de ir, e caminha mecanicamente até o automóvel, dá a partida, se dirige ao centro comercial, estaciona, aperta com insistência o botão do elevador do estacionamento que leva ao andar da loja, ofega, assopra em suas mãos úmidas, entra na loja, cumprimenta polidamente a vendedora ao mesmo tempo que vai direto à estante das calcinhas de seda e, quando o seu indicador roça o tecido, não consegue conter um gemido de prazer. E mais, e mais, ele toca. E mais, mais, ele suspira.

— Posso ajudar, senhor?

Ele compra três. Papéis, caixas, embalagens supérfluas, tudo jogado na primeira lata de lixo. Encerra-se no banheiro, tira a roupa apressadamente, arranca a etiqueta com os dentes, em seguida, já completamente nu, veste a seda, sobe devagar a calcinha ao longo das pernas, ajusta-a na cintura. A onda de prazer que o submerge sacode o seu corpo inteiro. Um êxtase que o transporta, o coração batendo forte, no centro de sua carne, no seu ponto cardeal, lá onde Mathilda solta um grito.

CYNTHIA,
Eu pensei que aguentaria. Pensei que Mathilda iria desaparecer, se dissolver. Pensei que eu iria dominá-la com minha determinação. Eu quero e acabou, não existe mais. É só querer muito. Eu quis muito, mas não o suficiente. Bastou um clique, nem isso, porque a imagem apareceu sozinha. Uma imagem, e tudo aqui dentro começa a gritar. Grita, e é a voz de Mathilda.
 Hoje à tarde eu vi a calcinha surgir na minha frente. Uma destas publicidades absurdas que qualquer um apagaria com um clique, mas que me atingiu em cheio. Você sabe, você conhece bem isso, não preciso descrever nada para você. Fiquei pregado em minha cadeira, os joelhos batendo um contra o outro. Nada a fazer contra aquilo, impossível desviar meu olhar das rendas. Rendinha vagabunda, modelo vulgar. Não olho para isso, olho para quem a veste, por trás dos pixels sou eu. Me vejo mexendo, dançando, e sinto a seda, sinto a alegria dentro de mim, minhas pernas que se levantam, minha boca que balbucia uma desculpa, e todo meu corpo que me conduz ao carro, depois ao centro comercial, até chegar à loja. E o prazer que explode quando estou no banheiro, nua, recém-vestida com a calcinha, o sexo recolhido. Depois o desespero se mistura a tudo aquilo e eu me encolho e começo a chorar. Sozinha. Completamente sozinho.
 Estou diante de um impasse. Como juntar minha pele de homem com a mulher que sou por dentro, suas formas, seu es-

pírito, seus desejos? Nestes últimos tempos eu tentei me convencer, e todos junto comigo, o psicólogo e Solange em primeiro lugar, que, claro, eu sou um homem. Com teorias, eu posso me livrar de Mathilda.

Estou me iludindo, meu sexo de homem é um engodo. A calcinha que o recobre é um engodo. Agora compreendo, ao te escrever, que é preciso que eu vá mais longe. A seda não é suficiente. Um dia vai ser preciso que eu pareça comigo mesma.

Cynthia, conheço seus diferentes olhares, os que me afagam, que me adivinham, os que às vezes me julgam, os olhares abatidos por me ver tão covarde. Quanto tempo é preciso para a gente ser a gente mesmo? E eu gostaria de perguntar isso a todos os que não precisam trocar de sexo. Quantos anos, décadas, para estar em conformidade? Conformidade de corpo, conformidade de sonhos, conformidade de pensamentos, com aquilo que somos profundamente, esta matéria bruta da qual sobram uns poucos restos antes que ela seja forjada, alisada, remendada pela sociedade, pelos outros e seus olhares, nossas ilusões e nossas feridas.

Encolhida no banheiro feminino, eu me sentia como uma criança devastada por uma dor profunda, tumultuosa, que não deixa nenhum lugar à razão. Nada, nem mesmo uma respiração para recobrar meus sentidos. Apenas a sufocação de Mathilda.

Perdi a noção do tempo, ouvia ao meu redor portas que batiam, descargas sendo puxadas, torneiras abrindo, o barulho do secador de mãos. Não conseguia sair. No entanto, foi preciso me vestir, colocar de novo a minha pele de Laurent. Calça jeans, meias, camiseta impregnada de desodorante. Me escorando na parede para não cair, sentindo meu estômago se revoltar, com vontade de sair só de calcinha correndo pelas galerias do centro *comercial* gritando: "Eu sou a Mathilda! Sou linda! Sou eu mesma!". *Sentir-se livre de tudo, dos olhares e dos julgamentos. Mas ser incapaz disso, enfiar seu blusão e bater a porta atrás de si, atrás de Laurent e Mathilda, atrás de nós.*

Não sei mais como cheguei no carro nem em casa. Ela estava vazia e silenciosa, com as fotos, a vida de cada um de nós, as cadeiras, as roupas que se espalham, os casacos pendurados, os sapatos, e eu, sentado na cozinha, o coração batendo forte ainda. Um copo na mão, o álcool que desce ao longo do esôfago para acalmar, acalmar.

E mais tarde sorrir e jantar e rir com os outros.

No dia seguinte, no escritório, Laurent está atordoado, dá a desculpa de uma dor de cabeça, responde a Estelle que a queda de Claire não foi assim tão grave.

— Você parece mesmo em mau estado! Quer conversar um pouco? — diz a colega, após tê-lo observado. E acrescenta: — Parece que você passou a noite chorando...

— Não, não quero conversar agora. Tenho apenas a impressão de que minha cabeça vai explodir. Amanhã já vai estar tudo bem. Desculpe...

E ele vai para sua mesa. Tem medo de ligar o computador e uma imagem inesperada perturbá-lo outra vez. Mas nada, a não ser uma mensagem de Cynthia em sua caixa de e-mails. Uma mensagem reconfortante:

O caminho é longo, Laurent. Mas você está percorrendo-o. Agora você enfrenta. Mathilda se impõe a você. E, pode acreditar em mim, enquanto você não lhe der o lugar que ela merece, ela não vai te largar. Então não fuja e atravesse o que deve ser atravessado. Nunca duvidei que, um dia, você será aquela que você é. Um grande abraço, com todo carinho.

Sim, Cynthia o compreende, ela está ali para ele. E, apesar do cansaço, as horas passam, e ele trabalha. Preciso descansar, devo deixar os acontecimentos decantarem, é o contragolpe. E, lentamente, ele consegue colocar aquilo de lado, pensar em outras coisas, se sentir um pouco melhor.

É à noite, à mesa do jantar, após a entrada e o prato principal, que tudo degringola de novo.

Solange não tirou os olhos da filha:

— Claire, o que você fez nas sobrancelhas?

A jovem fica vermelha, tenta esconder o rosto meio sem jeito, e responde:

— Nada! Por quê?

Solange se irrita:

— Pode parar, eu te conheço de cor e salteado, fui eu que te fiz. Desde quando você depila as sobrancelhas?

Claire levanta de um pulo:

— Em primeiro lugar, não é porque *me fez* que você me conhece! E depois, eu faço o que eu quiser com minhas sobrancelhas!

Thomas fica zoando:

— Eis um jantar que começa a ficar interessante! Vamos lá, meninas, a gente está assistindo!

A mãe, glacial:

— Cala a boca! Ninguém pediu seus comentários.

Thomas então se volta para o pai:

— Elas são divertidas, não? Com essa história de sobrancelhas...

A resposta de Laurent deixa todos mudos:

— Na sua idade eu arrancava os pelos das pernas com uma pinça.

Solange é a primeira a se recompor, percebe que a conversa toma um caminho complicado, tenta desviar:

— Escuta, Claire, eu posso entender, mas gostaria que a gente conversasse antes de você tomar iniciativas como essa, ok? Bom, adiante, vamos mudar de assunto...

Mas Laurent atalha:

— Não, não vamos mudar de assunto. Falemos, a gente tem que falar! Não é você a primeira a dizer que é preciso verbalizar? Pois bem, já é hora...

O pânico desfigura o rosto de Solange. Laurent limpa a garganta.

— Meus filhos, eu sou uma mulher.

Thomas já não zoa mais, Claire leva os dedos às sobrancelhas, Solange tem os braços trêmulos.

— Sempre foi assim, desde criança, alguma coisa meio diferente, que não batia com o que eu era. E continua até hoje. Levei tempo para descobrir o que era. Uma espécie de mal-estar, uma defasagem muito grande entre aquele que eu vejo diante do espelho e eu próprio.

Solange tenta interrompê-lo:

— Será que é de fato — ela insiste sobre o *de fato* — o momento para falar sobre isso?

Claire responde de maneira seca:

— Ele quer nos dizer alguma coisa, vamos ouvir!

Thomas, preso à cadeira, gostaria de poder correr para o quarto, mas não consegue. Laurent continua:

— Obrigado, Claire. Eu não posso explicar a vocês o desespero, a miséria que é o fato de não ser aquele que a gente vê. Todos os dias eu me questiono sobre isso, sem nunca poder falar a respeito.

Ele se volta para Thomas, agora completamente pálido:

— Como eu falava outro dia, o futebol, eu nunca gostei daquilo, não me sentia à vontade naquele ambiente, mas eu não tinha escolha, era incapaz de confessar aos meus pais. Aquilo colocaria muitas coisas em causa.

Ele prossegue, olhando para o copo d'água à sua frente:

— Não há razão para não lhes dizer. Eu lutei. Luto ainda para acreditar que sou o homem que vocês enxergam. Mas lá dentro a coisa resiste, resiste tanto que às vezes sai para fora.

Ninguém ousa perguntar como.

— Mas tem outra coisa que eu quero que vocês saibam. Uma coisa da qual eu nunca tive nenhuma dúvida. Se por um lado eu jamais me senti homem, por outro eu sempre me senti pai.

Eles terminam o jantar calados, não há nada a acrescentar. Laurent não toca mais na comida e se perde na contemplação do seu prato. Solange, à beira das lágrimas, ouve o barulho das colheres de Thomas e Claire a bater regularmente no fundo de suas cumbucas com iogurte.

Laurent quebra o silêncio:

— Agora que a gente começou, é preciso continuar.

Thomas se levanta, limpa a boca com o guardanapo.

— Eu vou para o meu quarto.

— Ajude a tirar a mesa! — diz Solange.

Mas ele já está subindo as escadas, dois degraus a cada passada, e bate a porta assim que entra.

Deixa-se ficar por alguns instantes, ofegante, depois seu olhar pousa sobre a desordem ali reinante, que de repente lhe parece insuportável. É a imagem da sua família, de seu pai, que está ali, no chão, no meio daquele monte de coisas atiradas, sujas, desprezadas. E a imagem se estilhaça, se decompõe.

Ele começa a dar pontapés em tudo o que está pelo chão, roupas, material da escola, bola de futebol, CDs, revistas, livros. Tudo o que está ao alcance do seu pé começa a voar.

Aqui está o que eu faço do futebol, do seu futebol. Aprendi a chutar tudo o que me rodeia. Pois agora eu chuto. Chutar, chutar. Assim. Chutar a sua mentira. Que história é essa de mulher? Onde já se viu?! E por que não guarda os problemas pra ti? Eu estou me lixando! Eu te falo dos meus por acaso? E aquelas duas, então, com a história de sobrancelhas... Que família de merda!

Quando os pontapés já não são mais suficientes, ele agarra os objetos e os atira contra a parede, no chão. Um barulho incrível. Aquilo assusta Solange, que bate na porta.

— Abra pra mim!

— Não, vá embora!

— Abra pra mim, por favor! A gente pode conversar...

Ele se põe a urrar:

— Eu quero ficar sozinho!

Solange espera um pouco, depois sai.

Thomas se senta na cama, agarra o travesseiro, tenta mordê-lo e acaba por morder o antebraço.

Por que ele precisa nos falar disso? Por que é que acha que nos interessa? Que se dane! Não quero saber nada deles, muito menos dele. Me dá nojo. Um velho idiota que se acha uma velha...

Dá de ombros, zomba, se levanta, apanha o celular, pensa em ligar para o Nicolas para lhe contar tudo. Mas aquilo é incontável. Quem gostaria de ouvir isso? Liga, mesmo assim, e desliga em seguida, completamente desamparado.

Que guarde essa mulher lá dentro. A gente não está nem aí pro que ele sente dentro dele. E o futebol? Eu gosto, pronto, e nunca lhe pedi nada. Por que ele fala dele assim? Não tem respeito. Não pedi nada, foi ele quem me inscreveu. Como se fosse minha culpa gostar disso. Eu nunca lhe pedi nada, muito menos pra ser o meu pai!

Procura uma música no celular. Alguns instantes depois, a coluna de som cospe guitarras, baixos saturados, percussões frenéticas, vozes esganiçadas. Ele está no meio de tudo aquilo, é exatamente o que está sentindo. No meio da desordem, ele dança, gesticula, imita os músicos e o som dos instrumentos, dá voltas em torno dele próprio. Aquilo alivia, faz bem.

    Em breve eu vou embora. Fazer minha vida longe deste bando de malucos, longe dele. Uma mulher... Onde já se viu?! Eu só preciso aguentar um pouco mais...

    Dois anos, na sua cabeça.

    Dois anos e eu dou no pé, vazo. E ele que faça o que bem entender com a sua mulher. Vou estar longe. Longe de todos eles. Não tenho nada a ver com isso, com as histórias deles. Não estou nem aí. Quero ser livre. Quero viver. Livre, livre...

    Ele canta ainda mais alto que as caixas de som. Não ouve Laurent batendo à porta:

    — Queria falar com você, Thomas. Não se preocupe! Você pode me dizer o que quiser. Eu compreendo que seja difícil. Eu deveria, talvez, ter falado com cada um de vocês em separado, cada um de uma vez. Mas faz tanto tempo que espero...

    A voz de Laurent não ultrapassa a porta.

    Thomas puxou o colchão da cama, jogou-o no chão, salta em cima, se força a rir de tudo aquilo.

    Mais nenhuma satisfação a dar. É isso... A ninguém, mas sobretudo a ele. Nada. Deixar o tempo passar e ir embora, vazar, dar no pé em dois anos. E falar com os que me entendem. Os que eu escolher. Porque meu pai é pirado, louco varrido. Porque meu pai não é nada. Porque meu pai é uma puta.

Claire também subiu ao seu quarto, mas junto com Solange — e após ter tirado a mesa, como deve ser. Elas entraram juntas no quarto, sentaram-se na cama. Sem nenhuma palavra. Claire se diz que ela deveria contar uma história qualquer à sua mãe para lhe dar uma arejada na cabeça, alguma coisa engraçada, que faça rir. Se esforça para encontrar alguma coisa que tenha acontecido no dia e que elas pudessem compartilhar. Mas não vem nada. Não pode ser, normalmente eu tenho sempre um negócio a dizer... Ela suspira.

Solange a observa.

— Não se preocupe, querida! Tudo vai acabar bem...

— Você acha?

— Sim, tenho certeza.

Mas a voz de Solange treme e sua filha não é boba, no máximo finge que é. Do quarto ao lado, o barulho de Thomas jogando objetos para todo lado. Elas se dão as mãos e apertam forte.

— Eu vou ver o seu irmão.

— Sim, sim. Eu estou bem, você sabe.

No umbral da porta Solange se volta e lhe diz:

— Suas sobrancelhas... estão muito bonitas.

— Obrigada, mamãe.

E a porta se fecha.

Claire escuta a raiva de seu irmão e se pergunta se ela própria não deveria se irritar também. Não, ela está mais incrédula do que furiosa. O que ele disse exatamente? "Meus filhos, eu sou uma mulher". Ela se lembra do rosto dele naquele instante, muito concentrado. Depois o gosto um pouco acre do iogurte em sua boca. A verdade é que ela não sabe o que fazer com aquela notícia. Ela se repete sem parar. Meu pai é uma mulher, meu pai é uma mulher, meu pai é uma mulher... Claire espera um pouco para ver o que aquilo provoca nela. Imagina um pai com seios e logo repele a ideia.

Acende a pequena lâmpada de sua mesa, puxa da gaveta o seu diário. Cor-de-rosa, com um cadeado. Ela acha feio, de repente rosa demais, menina demais. Mas o abre, mesmo assim, lê a última entrada:

Fui ao supermercado comprar uma pinça. Olhei muitos tutoriais sobre a curva perfeita. Dizem que abre o olhar. Eu e Émilie, a gente falou bastante sobre isso. Ela já fez e, de fato, muda tudo. Verdade. Quando cheguei no caixa senti um pouco de vergonha. Não sei por quê. Hesitei em colocar a pinça sobre a esteira do caixa. Mas depois eu me disse que já sou grande, que eu podia fazer o que quisesse. Só peguei um pacote de balas junto. De morango, aciduladas. Minhas preferidas. Pensei que a moça do caixa iria me olhar meio diferente. Mas ela não disse nada. Eu paguei e fui embora. Liguei para Émilie para dizer que agora eu tinha uma pinça, que eu ia fazer...

Claire fecha o diário. Ridículo. Apanha a caneta e se pergunta o que ela poderia escrever agora. O que está sentindo? Não muita coisa. O que ele disse? Sucinto demais. Ela dá um pulo. A música que Thomas está escutando faz tremer as paredes. Ela tapa os ouvidos. Por que não reage como ele? Abre outra vez o diário e, sob a data, escreve: *Ele disse: sou uma mulher*. Inútil precisar quem é este "ele".

O barulho da música é insuportável. Claire põe seus fones de ouvido e os conecta em sua pequena coluna hi--fi. Liga o rádio. Em seguida vai começar o programa que ela gosta. Os ouvintes contam seus dissabores a um animador agitado no estúdio, e ele lhes dá conselhos. Sempre escutou esse programa dando risadas, com a distância de quem não está envolvido, com a curiosidade de quem quer saber mais sobre alguns temas, principalmente sobre sexualidade. Os ouvintes não conseguem se calar a respeito de suas experiências. Claire apreende, se recorda, classifica as informações em sua cabeça para mais tarde, quando ela precisar. Esta noite ela escuta de maneira diferente. Talvez um dia ela irá ligar para lá também, mas por enquanto ela apenas ri menos, pragueja contra as publicidades, até se surpreende ao sentir um nó na garganta quando uma jovem conta sobre a sua recente separação.

Claire sai da infância sem ainda se dar conta, o mundo doce dos pais, aquele mundo reconfortante, que tinha resposta para tudo, se torna rugoso, enigmático, carregado de zonas obscuras. Quem é seu pai? Será possível conhecer tão pouco alguém com quem se viveu toda a vida? Alguém que a gente ama? É esta incerteza que de um só golpe a projeta no mundo adulto, sem preveni-la, sem que ela tenha podido se preparar.

Eles estão de novo à mesa da cozinha. Laurent e Solange não se olham. Ela se debateu, lutou como uma leoa, confiando apenas na sinceridade de Laurent, na esperança que dali ela extraía. Acreditou que conseguiriam superar tudo graças ao psicólogo e, sobretudo, a eles dois, sozinhos um com o outro, como sempre encararam a vida. Um time, um belo time. Mas agora Laurent a pega de surpresa. Falar aos filhos sem o consentimento prévio dela é uma traição da qual não tem certeza se vai conseguir se refazer. Estava profundamente irritada com ele.

Ela o observa, alguém confuso e covarde. Detesta tudo o que a cerca, a geladeira americana que faz gelo picado, as grandes peças de granito cinza-escuro que revestem o piso, o pinga-pinga da torneira que é preciso consertar. Tudo feio, parece a minha vida. Eu me esforço e ele estraga tudo. Tenho que parar de me agarrar a esta história, à nossa história, a esse homem.

Laurent a observa:

— Você está braba comigo, né?

Ela hesita em insultá-lo.

— Sim! Como é que você pode contar às crianças sem me avisar? Isto diz respeito a todos nós, não? Você se sente melhor? Aliviado, é isso? Não acha que foi um pouco egoísta, assim, na mesa, na hora do jantar? E eu vou te dizer uma coisa com toda a sinceridade: ninguém está interessado em saber se você depilava as pernas quando era adolescente! Desde o começo eu tento sentir compaixão por você. Eu me digo: o coitado é doente, a gente vai ajudar ele... Mas agora compreendi que você não estava dando a mínima para nós, que tudo o que interessa para você é essa mulherzinha aí dentro. Pois bem, quer saber? Faça o que bem entender com ela. Vá. Vá até o fim!

Ela se levanta, agarra a cadeira pela guarda. Seu gesto poderia ser teatral e muito mais explícito do que a sua fala. Ela jogaria a cadeira para que se esfacelasse no piso, naquele granito que eles escolheram tão meticulosamente, horas e horas folheando catálogos, se perguntando a respeito de proporções, de perspectivas. Hoje, nenhuma perspectiva. Nada.

Mas ela larga delicadamente a cadeira no chão outra vez, recolocando-a em seu lugar, e deixa a cozinha para se refugiar no sofá da sala. Gostaria que Laurent viesse até ela, que se desculpasse, que dissesse que foi tomado por um impulso, que juntos eles iriam conseguir superar, apesar de tudo. Eu vou me tratar, é apenas uma crise entre a gente, uma bela de uma crise, mas a gente é capaz de enfrentá-la. Vamos passar por cima desta porcaria de crise, vamos esmagá-la.

Mas quando Laurent se aproxima, ele lhe diz somente que vai dar uma volta de bicicleta, não toma nem o tempo de ouvi-la chorar. Já está no selim.

Ela fica sozinha com suas esperanças. Não desiste; seu ideal, sua vida, tudo está em jogo. E agora ela está sentada como uma idiota no sofá da sala, os filhos lá em cima. Não sai para dar uma volta de bicicleta como ele, ela se sente responsável. Responsável por eles, por aquela casa, pelo lar, por tudo aquilo que lhe foi inculcado desde sempre. Você fica e segura as pontas.

Ela olha os objetos, a biblioteca, a grande foto enquadrada, tirada na Île d'Yeu, há dois anos. Todos bronzeados, sorridentes, despreocupados. A despreocupação que ela perdeu por completo, jogada no lixo. O que eu fiz até agora, a não ser me refugiar no mundo da infância? Trabalho neste mundo, tento a todo momento encher meu espírito de palavras simples, de ingenuidade, de cores primárias. Me apego a isso, me dizendo que se pode passar uma vida inteira sem nunca se preocupar com a crueldade, que por vezes se topa com ela no pátio durante o recreio, mas que, com muitas explicações e bondade, a gente pode erradicá-la. É a isto que Solange dedica a sua vida: erradicar a crueldade. E fazê-lo com tambores, bandeirinhas e trombetas. Uma bela missão! Mais uma. Arrancar essa erva daninha de todo mundo. Fazê-lo também com seus próprios filhos. Apenas Laurent parecia desprovido daquele inço. Laurent e seu amor. "Amor sempre", ele lhe dizia, olhando-a nos olhos, sem piscar, ainda há alguns meses. E hoje este campo de ruínas. A desestabilização absoluta e a solidão que vem junto. A impossibilidade de falar a respeito. A quem? Sua mãe? Não, um campo de ruínas é suficiente, não dois. Não magoar os outros, deixá-los de fora. Sim, as crianças vão bem, e Laurent também. Obrigada, mamãe. Até logo!

Laurent pedala, escapa dentro da noite. Numa velocidade absurda, tão trepidante quanto a alegria que eleva seu espírito. Ele ouviu a raiva de Thomas, o silêncio de Claire, a solidão de Solange. Mas ele falou, e aquele peso que carregava há tantos anos foi embora de um só golpe, desapareceu, se dissolveu.

As pernas ritmadas cortam o vento. E, naquela estrada em meio ao campo, sem nenhuma viva alma, Laurent berra: "Feito!". Sua felicidade é um insulto à família e provoca estragos, mas ali, escondido no fundo da noite, ele vive essa felicidade perdidamente. Mathilda, Mathilda!

No dia seguinte, durante o café da manhã, os rostos estão tensos. Todo mundo se evita. Falam de outra coisa, se esforçam para acreditar que ainda vivem a véspera, quando nada ainda tinha sido dito. Thomas, com o boné enfiado na cabeça e de fones nos ouvidos, lança um olhar frio ao seu pai, daqueles difíceis de suportar. Solange não sabe se lhe diz ou não para parar de escutar música à mesa. Sobretudo tão alto assim! Mas cada um faz o que pode. E o café da manhã transcorre entre cereais, chá e fatias de pão. Os gestos são mecânicos, mas eles os fazem, persistem, continuam ali.

Laurent deixa os filhos na escola. Em seguida vai para o escritório, aguarda com impaciência a consulta com o doutor Morel às dezoito horas e quinze minutos. Tenho tanta coisa a lhe dizer. Ele está cheio de orgulho.

Quando enfim se senta na poltrona diante do psicólogo, ele lança um olhar terno para a caixinha de lenços de papel. Não vai ser hoje que vou chorar, com certeza que não.

Começa pelo episódio da calcinha. Está excitado:

— Tudo vem dali, a coragem de falar, foi graças a este ponto de partida. Minhas pernas tremem só de falar disso de novo. Sinceramente eu não pensava que seria capaz.

A reação do doutor é fria, Laurent não compreende. Esperava felicitações, a admiração do outro. Mas não, Morel permanece muito calmo e pede detalhes, mais detalhes, sobretudo os sintomas físicos.

— Você se lembra exatamente da sequência dos seus gestos? É necessário ser preciso, mais preciso do que isso.

Laurent fica embaralhado. Gostaria de contar sobre o que ocorreu à noite, quando ele tudo disse, mas o doutor não desiste, insiste sobre o prazer que ele teria sentido no banheiro.

— Como? Quanto tempo? Bastante, não é? E depois a desaceleração. Por que é disso que se trata, não é? De uma espécie de desaceleração, não é?

Muitos "não é?". Laurent se recompõe.

— Sim, mas o que conta é o depois. A força que aquilo me deu.

— Eu sei, mas você teve a impressão, no banheiro, de viver uma espécie de estado segundo?

— Não sei... Sim, claro. Não lembro muito bem.

— Não lembrar é típico de um estado segundo. A gente é atravessado por uma força quase exterior, não é?

— Porém, eu tinha de fato a impressão de que aquilo vinha do fundo de mim.

O doutor Morel o observa com um sorrisinho, não diz mais nada, depois anota rápido alguma coisa no seu caderno.

A sessão continua, mas Laurent tem a impressão desagradável de que o psicólogo não o escuta mais, que seu olhar se perde ao longe. Então começa a contar com detalhes o jantar, as reações de cada um, a libertação provocada nele, a corrida de bicicleta. Mas mais nada parece captar a atenção do terapeuta.

Laurent se mexe na poltrona, gesticula tanto que seu telefone cai do bolso e fica entre o encosto e a almofada. E a sessão continua sem que Morel escreva mais nada. Este ainda lhe pede:

— Me fale da calcinha, Laurent. Sinto que é importante para você.

E ele diz que aquilo já havia acontecido, que tem alguma coisa a ver com o tecido, que é sempre o toque que o transtorna. Tem a impressão de tocar o interior de si próprio, a textura da sua alma. Ele emprega essa palavra. E, além disso, a calcinha faz desaparecer o sexo, e é isso o que mais conta. O olhar do doutor é extremamente insistente. Laurent gagueja, sorri para disfarçar um pouco, mas se sente incomodado por ser devassado daquela maneira. Gostaria de ser protegido, escutado, em vez de julgado. Que ideia a de pagar alguém para se sentir assim e falar de uma calcinha!

A sessão enfim termina, entrecortada por silêncios. É hora de pagar, eles passam para a sala ao lado. Quando Laurent se dá conta de que perdeu o telefone, volta para onde estava e o encontra escondido na poltrona. Morel não havia fechado o caderno e, enquanto espera na outra sala, Laurent não consegue deixar de se aproximar e ler a letra miúda do psicólogo. Duas palavras sob o seu nome e a data: *neurose obsessiva*.

Estou pronta.
Não é preciso mais nada para Cynthia entender que o momento chegou, que ele conseguiu, que ela bem fez em jamais duvidar da vontade de Laurent. E Cynthia, lendo a mensagem tão sucinta, sem nenhum cumprimento protocolar e nem mesmo assinatura, não consegue segurar as lágrimas. De repente ela foi lançada para dez anos antes. Ela também, um dia, sentiu-se pronta e cheia de força. Aquilo terminava por se impor, irradiava sobre todo o resto. Se vê outra vez trêmula, atravessando a porta de uma associação. Ela é Jérôme, que se senta em uma poltrona, quase desaba, de tanto que se sente tocada pelos sorrisos e cuidados de todas que lhe dizem: "Eu passei pela mesma porta que você e olhe para mim agora". E Jérôme olha e se encanta. Ele também quer, pode e vai fazer. Tinha vindo às reuniões, primeiro discretamente, depois, e cada vez mais, com regularidade. Era Ève quem as coordenava, e ela seria a madrinha dele. Uma voz, uma suavidade, um sorriso a toda prova. E uma amizade havia nascido, daquelas que suportam tudo, que contornam os obstáculos, ajudam a imaginar, projetar, decidir. Ève o acompanhara durante dois anos, até a sua alteração de estado civil, depois foi se dedicar a outros. E Cynthia tinha jurado para si mesma estender a mão. Três homens, exatamente, tinham precedido Laurent. Sete anos ao todo. Mas a cada vez que chegava o

momento para eles, ela não podia conter as lágrimas. Mistura de emoções, de admiração, de nostalgia e de alegria. Instante crucial e poderoso da vida. Ousar.

    Tudo começa agora para Laurent. Cynthia vai primeiro colocá-lo em contato com o único psiquiatra da cidade que os compreende e apoia. Ele o enviará ao endocrinologista para começar um tratamento com hormônios. É uma rede discreta e sólida de pessoas que compreendem, não cedem nem ao pânico nem aos preconceitos no caminho tortuoso da troca de sexo.

    Cynthia não deixa transparecer sua emoção e responde simplesmente:

    Estou orgulhosa de você. Vamos nos ver. Eu vou te ajudar.

    Alguns dias mais tarde, eles almoçam juntos. Mal tiveram tempo de sentar e Laurent já conta a sessão com o psicólogo. Primeiro a perturbação em que a insistência do terapeuta o tinha lançado. Típico do perverso voyeur que supostamente pretende te ajudar, interrompe Cynthia. Sim, foi exatamente o que ele sentiu. A escuta era diferente, mais nenhuma distância entre eles.

— Seu olhar escorria em cima de mim. Eu não teria reagido tão violentamente se não tivesse tido aquela sessão antes. Escorria e era veneno. Impregnava todo o ambiente, minha pele, minha respiração. Tinha a impressão de estar em uma cela. Neurose obsessiva! Você percebe, Cynthia? Aquilo me chocou. Como é que alguém pode reduzir uma pessoa a duas palavras? Foi ali que me dei conta de que todo mundo pensa que sou doente. Não é só uma maneira de falar, mas pensam que sou doente mesmo. A gente vai te curar assim que identificar a sua doença. É tão simples: uma doença, um remédio!

Ele hesita antes de continuar:

— Mas talvez um dia eu agradeça a ele, porque foram aquelas duas palavras que me fizeram entender. E agora, aqui estou. Pronto.

Cynthia o faz ver que ele disse "pronto", enquanto que, no SMS, tinha escrito "pronta". Com um magnífico "a", acrescenta.

Eles riem, e Laurent retifica:

— Estou pronto pra estar pronta, fica bem assim pra você?

— Sim, fica bem. Obrigada.

Depois do almoço, eles prometem se ver em breve. Cynthia vai lhe enviar todos os contatos para que ele marque as consultas. Ela bebe o café rápido e sai. Tem pressa, deve atravessar a cidade para voltar ao trabalho.

Laurent fica sozinho por alguns minutos. A mesinha redonda está cheia de copos vazios, pratos e guardanapos sobre a toalha de papel. Sua cadeira está contra a parede de vidro, e o sol de inverno vem bater em seu rosto. Laurent se deixa ofuscar pela luz, depois fecha os olhos. Pensa em Mathilda, lhe diz que em breve ela estará em seu lugar, que ela e Cynthia vão almoçar juntas e que não haverá mais estar pronto ou pronta, que basta pensar longe, sonhar, dar um jeito de estar lá e de acreditar sempre em si mesma.

Até então Solange nunca tinha se questionado a propósito de sua própria liberdade. Nasci livre, vivo livre. Uma evidência. Solange é uma mulher determinada que deixa pouca margem às dúvidas. Sua vida, ela a construiu passo a passo, com Laurent, a pessoa certa, sempre soube disso. No colégio, ele era o único a ser atencioso e delicado. Um espírito elevado, sem grosseria. Um pai perfeito, ela já sabia. Sem fazer muito esforço, ela o havia guiado e convencido. A vida era tão simples quanto ela imaginava. Ideias claras e bom senso. E aquilo tinha funcionado para tudo, com os filhos, entre eles. Ela tomava, assim, a direção oposta da vida caótica que tinha vivido com a mãe, entre desejo de emancipação, amores variados, trabalho irregular — sempre dura de dinheiro. Ela havia sofrido com tudo aquilo e tinha jurado viver de outra forma, com uma boa pessoa, estável. Alguém com quem contar: Laurent. Sem jamais duvidar, sem jamais se colocar a questão da liberdade. Escolhera o trabalho certo, professora primária do ensino público. Era bonito e a deixava segura. Ela transmitiria aos seus alunos a tranquilidade que é preciso para crescer bem, e isso ela possuía para dar e vender. Sonhava em ser uma base sólida para todas aquelas crianças. Ao longo dos anos, centenas e centenas cruzariam seu olhar e sua voz. Ela lhes ofereceria afeto e segurança, as melhores bases da existência. Sou uma base, sou uma base, se repete com frequência. E Laurent era a sua; sem ele, ela não teria podido nem construir, nem trabalhar, nem criar seus próprios filhos. Estava tão certa de nunca ter se enganado, graças ao seu infalível bom senso. A vida é tão simples se a gente a leva do jeito certo.

Agora a coisa se atravessa, lhe escapa. Porém, eu fiz tudo como devia... E se fosse Laurent o problema, e somente ele. Ela se recrimina por não ter visto nada. Normalmente eu percebo tudo. Não viu nada, porque as suas certezas, e somente as suas, baseadas em seu famoso bom senso, não podiam ser postas em causa. Impossível desviar. Como não reconhecer, hoje, que ela se enganou, que se enganou redondamente? Por causa de todos os meus malditos medos. Medo de fazer mal, de ferir, daquilo que vão dizer, do que vão pensar. Quando criança, ela queria ser como as amigas da escola que pareciam tudo conseguir! Não como ela, sistematicamente atrasada, os casaquinhos já todos pendurados nos cabides do corredor e ela chegando correndo. Apenas um cabide vazio, o seu. Que vergonha! Então ela entrava na sala quando a porta já estava fechada e os colegas instalados em seus lugares. Balbuciava uma desculpa à professora. Seus blusões furados, naquelas cores improváveis, predileção da mãe pelo laranja vivo, às vezes o violeta, nunca algo sóbrio, nunca simples, nunca bonita, sempre demasiada. Então ela, por sua vez, fez tudo como se deve fazer, dentro da norma, as boas notas, os sorrisos, a segurança do emprego, a casa individual, e depois seus filhos maravilhosos — é verdade que eles o são. E seu marido ideal... Ela se fechou, agora entende, balizando a rota, flechas e placas por tudo, e agora está presa e é forçada a sair. Se sente traída. Sobretudo, eu me sinto uma idiota.

Com o psiquiatra recomendado por Cynthia, Laurent enfim se sentiu compreendido. Retraçou tudo, seus sonhos de criança, o esconderijo dentro do armário, o êxtase que tirava daquilo, o mesmo que experimenta hoje ao acariciar as roupas íntimas. Fala também do longo período de latência que atravessou antes de ser pai, depois a explosão de Mathilda, o Zanzi, a descoberta por parte de Solange, a família que se dissolve, Morel e a neurose obsessiva.

Toda a minha vida em algumas frases. Eles se concentram em algumas imagens, analisam-nas. Tentam compreender como se chegou ali. Ação/reação. Agora Laurent está pronto. Já falou o suficiente. Tem a impressão de que suas palavras servem apenas para justificar uma decisão tomada há muito tempo. Não tenho mais nada a acrescentar.

Então o psiquiatra o envia ao endocrinologista. A consulta é marcada para uma quinta-feira, na hora do almoço. Não esquecerá jamais daquele dia. O torpor febril no qual ele mergulhou nas horas precedentes, depois a alvura do consultório, as flores de plástico, o sorriso da secretária, o aperto de mão do médico e, enfim, enfrentar-se, sentado, com a mesa entre os dois, onde se amontoam folhas, pastas, canetas.

Laurent responde às perguntas técnicas, detalhadas — antecedentes familiares, doenças, alergias, auscultações, exames de sangue a fazer, tudo o que concerne a um corpo que se prepara para mudar. Um corpo como um monte de números escritos em um papel, preto no branco, estatísticas pessoais examinadas e mensuradas, registradas. Nenhuma pergunta sobre o seu estado psicológico. Cada um na sua, o endocrinologista cuida apenas dos hormônios. O corpo e o espírito bem dissociados, a cargo de especialistas diferentes, separados.

Laurent se sente perturbado pela prescrição. Toda aquela papelada lhe parece inútil. Fica impaciente, gostaria de dizer ao médico para se apressar, que ele está pronto. Preencha logo esse papel para que eu vá à farmácia.

Porém, ele está apenas no começo do processo, e o processo é cheio de longas conversas, formalidades, perguntas absurdas e respostas raramente ouvidas. Se mascara com um jargão técnico a escolha vertiginosa da troca de sexo.

Para ganhar preciosos meses, Laurent escolheu a via do privado, as consultas são mais próximas umas das outras. Mas a escolha custa caro, tão caro que ele previu usar o dinheiro que guarda em uma conta de poupança há alguns anos. Uma herança dos seus pais que ele considerava intocável, reservada para o estudo dos filhos. Tudo com o gosto sagrado do suor dos avós, do patrimônio e o que isso traz de tabus. Mas aquilo foi antes dele tomar a decisão, antes de ir ao banco assinar os papéis para desbloquear a conta, a única que estava somente em seu nome, sem o conhecimento de ninguém, sobretudo de Solange. Quer símbolo mais bonito do que usar a herança de meus pais para nascer de novo?

Laurent sai do seu devaneio quando o médico enfim digita a receita no computador. Dentro do consultório só se escuta o barulho das teclas. Laurent prende a respiração até que a impressora comece a despejar a folha. Dois tipos de hormônios. É preciso começar com esta dosagem. O doutor acrescenta algo sobre os efeitos colaterais, mas Laurent não o escuta mais. Ele quer o papel. Tem o meu nome ali. Sim, sim, sou eu. Laurent Duthillac. E os hormônios que vão mudar a minha vida.

Uma vez de posse da receita, decide ir a uma farmácia da periferia por discrição. A farmacêutica lhe estende duas caixas. É simples, tão simples. Anos esperando, ao passo que bastava um papel.

Tudo está, agora, no bolso de sua jaqueta. Está ali, bem ali dentro. E a mão apertando o bolso. Tem de voltar para casa. Sobe no carro, espera alguns instantes antes de dar a partida. Inspira demoradamente, fecha os olhos e põe o CD de Melody Gardot. A canção o invade inteiro. Estou quase, quase alcançando. E alcança naquela mesma noite, quando se olha no espelho do banheiro. Enche até a borda um copo d'água, abre nervosamente a caixa. Os comprimidos na palma da mão.

Lentamente seu rosto se apaga no espelho. Aparece então uma alta montanha, verde em todo o seu comprimento, terminando em uma falésia abrupta que mergulha no mar. Ele está lá em cima, um pequeno ponto perdido na imensidão da natureza. Não é saltar o que ele precisa, mas abraçar a paisagem inteira. Saltar, isso eu faço sempre em sonho e no viaduto sobre a autoestrada. Agora, no alto da falésia, ele respira o céu, abre a mão e põe na boca um punhado de terra, algumas flores também. E tudo estala em seus dentes. Explode, se desmancha.

Claire bate na porta do quarto do irmão. Thomas não fala mais com ninguém. Guarda sua raiva dentro dele, bem confinada. Não a revela nem em casa nem na escola. Uma raiva sem palavras, bruta, animal. Inexplicável.

A bem da verdade, Claire nunca falou de fato com o irmão. Lembra-se apenas de birras, discussões, bonecas partidas, por vezes até decapitadas, e tácitas reconciliações — nunca um: Desculpe, você está braba comigo? —, um sorriso basta e já se retorna às brincadeiras. Os mal-entendidos não duram muito. E mesmo que agora Thomas já estivesse no ensino médio, continuava a haver entre eles alegria e cumplicidade. Mas Claire percebe bem que, desde há algum tempo, nada foi apaziguado e tudo é contido.

Então ela bate na porta do quarto, uma, duas vezes. Ela já desconfia, pelo silêncio lá dentro, que Thomas deve estar com seus fones. Não os larga nunca, anda sempre com os ouvidos tapados por eles. Aliás, Claire se espanta que o deixem andar assim.

Já se passaram algumas semanas desde o famoso jantar. O ambiente em casa está estranhamente calmo, como que congelado. Todos caminhando na ponta dos pés, com medo de danificar um pouco mais o edifício familiar. Conversações anódinas evitando o essencial. Fala-se apenas da escola, das atividades, dos colegas, um cotidiano que traz um pouco de reconforto, que faz crer que se pode continuar assim, que com certeza a gente vai aguentar.

Laurent começou o tratamento hormonal faz alguns dias, sem que ninguém saiba. Em breve ele lhes dirá, mas por enquanto se concentra no que se passa nele. Alguma coisa muda imperceptivelmente.

Solange se limita ao controle do funcionamento da casa, esta casa que desmorona. É ali que ela deve permanecer, levar tudo na ponta dos dedos, não abandonar nada, mesmo quando tudo balança. Limpar, esfregar. Roupas, louça, aspirador, pano de chão. Vai ficar limpo, bem limpo. Ela se esforça. As frases que passam por sua cabeça trazem todas *detergente, desinfetante, desengordurante,* por vezes *amaciante*. Tudo lava, tudo libera.

Depois de ter batido inúmeras vezes, Claire decide entrar no quarto.

Thomas está deitado no chão, os fones, de fato, nos ouvidos, os olhos fechados. O quarto está perfeitamente arrumado. Ela quase não acredita. Mais nada atirado no chão. Devagar ela fecha a porta, anda alguns passos pelo aposento. Depois se aproxima do irmão, que ainda não percebeu a presença dela. Ela se agacha perto dele, dá uma batidinha no seu joelho. Ele dá um pulo, tira os fones com um gesto brusco:

— O que você está fazendo aqui? Cai fora...

Ela o olha com tristeza, depois se levanta. Ele reconsidera e, com uma voz mais suave, diz:

— Pode ficar, se quiser...

Então ela se deita ao lado dele, que não põe de volta os fones.

— Por que você não fala mais com ninguém?

— O que você quer que eu fale?

— Por que você põe todo mundo no mesmo saco? Mamãe não fez nada.

Thomas solta um risinho de troça:

— É, ela não fez nada, é exatamente esse o problema. Ela não faz nada, fica lá como uma idiota. Viu como ela se movimenta na cozinha? Tem medo de quebrar tudo. Não toca em nada, se desculpa o tempo todo. Se fosse comigo, já tinha mandado tudo longe, explodido tudo. Não dá para ficar com um louco desses!

— Você nunca parou para se perguntar se não é pela gente que ela fica?

Os dois adolescentes se calam por alguns instantes, até que Thomas murmura:

— Acha mesmo que isso pode ser uma razão suficiente?

— Claro que sim — responde Claire, erguendo o tronco. — Ela é capaz de fazer qualquer coisa por nós!

— Você me dá vontade de rir... Já é tempo de crescer, Claire, pare de acreditar em contos de fadas. Ela fica porque não tem coragem de se mandar, só isso.

Claire se põe em pé:

— E você? E você?

Está revoltada, não encontra mais as palavras, que parecem presas na garganta. Ele não entende nada, nadinha de nada. Ela não sabe lhe explicar. Ele põe de novo os fones. Ela bate a porta.

Eles só se encontram de novo à noite, todos os quatro em torno da mesa de jantar. Falam sobre a guerra no Afeganistão. Excepcionalmente, Thomas aceitou retirar seus fones de ouvido. Seu olhar passa de um para outro com certa fleuma. Come sem nenhum comentário. Quando seu pai faz uma observação veemente sobre a política externa americana, porém, ele não pode se impedir de dizer:

— Mas ninguém aqui pediu a sua opinião, a gente está se lixando!

E acrescenta, olhando-o fixamente:

— Otário.

Todos ficam paralisados, menos Laurent, que também encara o filho e responde pausadamente:

— Otária, por favor, otária.

São os gestos mais banais que traem. Laurent sempre cuidou bastante para esconder as cartelas dos hormônios em um dos bolsos da mochila de treino. Mas após ter tomado os últimos comprimidos, ele jogou uma cartela vazia na lixeira do banheiro. Ato falho, gesto inconsciente, feito com um desconcertante ar natural.

Alguns dias depois, Solange se atira em uma limpeza a fundo. Tinha aquilo em mente há dias: pegar a gaveta dos medicamentos e jogar fora os vencidos, as cartelas espalhadas já sem suas caixas. Fazer uma triagem.

Ela entra, carregando um balde, pano de chão, um frasco de vinagre de limpeza — seu último capricho desinfetante — e um spray anticalcário. Isto vai me fazer bem.

Começa pela lixeira. O olho bate numa cartela de remédio, um nome que ela não conhece. E de repente o coração começa a bater mais forte, as mãos tremem, sem que ela tenha, porém, entendido alguma coisa. Mas a intuição está presente, gélida.

Observa a cartela, as cápsulas onde se acomodam os comprimidos estão vazias, rompidas. Ela retira as luvas de borracha, desce até a sala correndo, liga o tablet e digita freneticamente o nome do remédio. E tudo lhe salta na cara: os hormônios, os efeitos, a transição, a pele que muda, os seios que crescem. Com direito a fotos para ilustrar. Poderia até ver os vídeos.

Ela permanece estupefata durante um bom tempo. O que resta de mim enquanto ele se transforma em outra pessoa?

Volta ao banheiro, põe a cartela no bolso, arruma os detergentes espalhados pelo piso, se penteia diante do espelho. Ela se acha feia. Os traços abatidos, a cor esmaecida e a boca que começa a cair como a da sua mãe. Detesta as mulheres que têm aqueles lábios frouxos. Tem-se a impressão de que estão sempre de mau humor. Pensa nela quando jovem, uma pele impecável, as maçãs do rosto cheias. Ela se revê em uma foto tirada na casa da avó, durante um verão no campo, com raios de sol que atravessam a palha do chapéu e os olhos que sorriem, a indolência absoluta, a graça. Hoje, a única coisa que me faz bem é desinfetar.

À noite, já deitados, ela estende a cartela a Laurent. Ele se volta para ela e a observa demoradamente. Seu olhar, primeiro hesitante, se fixa sobre a boca de Solange, naquele beiço caído que ela gosta tanto.

— Comecei com os hormônios, Solange. Fui ao endocrinologista e ele me receitou. Se você soubesse o efeito que me fez. Aquele papel nas mãos era como se me queimasse. Tornava-se possível, por escrito, preto no branco, porque um médico tinha decidido digitar e imprimi-lo. Uma loucura...

Laurent se interrompe por alguns instantes, depois continua:

— Foi tão simples na farmácia, nenhum olhar diferente, apenas o sorriso de alguém que te estende um saquinho plástico com as caixas dentro. E no mesmo dia eu comecei, tomei os comprimidos diante do espelho do banheiro, agarrado na pia. Senti que o piso se abria sob os meus pés.

E aquilo descia a uma velocidade incrível. Esse primeiro gesto, essa primeira dose, foi lindo. Eu conseguia, compreende? Eu conseguia.

De repente Laurent soluça.

— Desde que comecei não sinto mudanças físicas de fato, mas uma emoção à flor da pele. As lágrimas que estão ali, no canto do olho, sempre prestes a caírem. É que isto mexe comigo, entende? Eu comecei de verdade.

Laurent esconde os olhos com um lenço. E Solange se dá conta, de repente, que ele irá até o fim, até a operação, que, ao lado dela, na cama, haverá um dia uma mulher, seios e sexo, completa. Ela foi atravessada por aquela verdade. Poderia rejeitá-la inteiramente, mas não consegue, porque há na sinceridade de Laurent alguma coisa que a comove profundamente.

No sábado seguinte, Solange e Laurent decidem almoçar em um bistrô no centro da cidade. A tensão diminuiu, Solange parou de andar na ponta dos pés, o cotidiano é mais leve. Não dá para ficar falando o tempo todo, questionar cada instante. É preciso saber retomar o fôlego. Decidiram almoçar juntos, uma trégua longe dos outros e do que acontece com eles. Um momento sem peso.

Solange pede um tártaro e ele um espetinho de vieiras. E também meia garrafa de chablis. Com moderação. Fazem um brinde. A garrafa foi servida fria demais, o rótulo se descola dentro do balde com gelo, e quase não se sente o gosto do vinho, mas neste dia de início de primavera, o sol ajudando, eles estão quase felizes.

Ela entra naquele preciso minuto. Abre a porta com um gesto tão seguro que a porta bate contra a parede. Laurent vê apenas os seus cabelos, ruivos, até os ombros, ondulados tipo Lauren Bacall, domados e moventes ao mesmo tempo. Cabelos que marcam o ritmo seguro dos passos enquanto ela anda.

As ruivas incandescentes são raras, a elegância e a graça também. Os ruídos do bistrô diminuíram bruscamente, a tela plana da tevê suspensa sobre a sala se cala, os pratos se tornam discretos, as xícaras não batem mais contra seus pires, os pedidos são sussurrados. A beleza passa, e todos respeitam.

A ruiva vai até o balcão do bar, para bem no meio, procura por alguém ou uma mesa. Um garçom se apressa em atendê-la, a bandeja cheia de pratos sujos equilibrada na palma da mão. Trocam palavras rápidas. Laurent tenta ler os lábios dela, mas vê apenas o sorriso se abrir, pintado de vermelho, dentes bem alinhados, a língua que aponta um instante entre os dentes antes que a boca se feche. O olhar da ruiva passa por ele sem percebê-lo. Ela pediu para se sentar ao balcão. Os poucos segundos que lhe foram precisos para falar com o garçom e depois se sentar se alongam.

A jovem faz um movimento de ombros e escápulas que faz cair seu casaco, deixando surgir uma camisa preta sabiamente colocada para dentro do jeans. Laurent não vê nem a camisa nem o jeans, ele percebeu distintamente o movimento das escápulas que fez sobressair os seios. Laurent toca o próprio torso. Ainda não, mas em seguida. Aquela mulher é a própria beleza, a encarnação do fantasma que entra em um bar.

A ruiva respira, é viva. Puxa seu telefone e corre o dedo na tela. Bebe um gole de cerveja. O copo chegou como por milagre, pousado diante dela sobre uma bolacha protegendo o balcão. Os ruídos do bistrô ressurgem. Os pratos chocam-se de novo, o som da televisão é audível outra vez.

O desejo que Laurent experimenta é violento, ele treme de admiração por aquele corpo de mulher, aquela graça consumada, como a que ele almeja, que ele vai alcançar um dia. Que tipo de seios eu terei? Qual será a forma deles? Gostaria de evitar as próteses para conservar uma certa elasticidade da pele. Meus seios serão naturais, nenhum retoque. Meus seios são eu, eles me precedem. São o que as pessoas verão primeiro. Eles serão e eu serei com eles.

Claire diz que vai pegar o telefone para ligar para Émilie. É depois do jantar, ninguém se surpreende com seu pedido, com frequência ela liga àquela hora para a amiga.

No quarto, senta ao lado do rádio e tecla o número de maneira febril. Conhece-o de cor. Pensava que seria simples teclar os dez algarismos, tantas pessoas o fazem, mas ela se põe a tremer. O som da chamada retumba dentro de sua cabeça. A central atende.

Uma voz feminina e juvenil pergunta sobre o motivo da ligação. Claire ouve sua própria voz responder: meu namorado. Ela conta um pouco sobre uma história de separação. Dizem-lhe para não desligar, que em seguida ela vai entrar no ar, que ela tem sorte. Geralmente não é assim tão simples. Falam também para desligar o rádio, pode dar interferência.

Ela gira o botão e espera. Uma musiquinha que bate em arritmia com a que fustiga seus tímpanos. E logo a voz do apresentador, a mesma que ela ouve todas as noites sair dos alto-falantes, está ali agora, no seu ouvido.

— Então, Suzanne, o que está acontecendo com você?

Ela teve a presença de espírito de trocar o nome. Muitos alunos da escola escutam o programa.

— Então, o que ele lhe fez, o seu namorado?

— Na verdade, não é a propósito de meu namorado. Eu não tenho namorado. É a propósito do meu pai. Ele está virando mulher...

Silêncio no rádio.

— Primeiro ele nos falou disso na mesa, todos estavam lá, eu, meu irmão mais velho e minha mãe. E ele nos disse assim: Meus filhos, eu sou uma mulher. Aquilo nos deixou tão atordoados que a gente não soube o que dizer. Desde então eu observo ele, fico cuidando, e vejo que ele está mudando. Ainda não falei com ninguém sobre isso. Um pouco com o meu irmão, mas ele não entende nada. Passa o tempo inteiro com os fones enterrados nos ouvidos. Ele diz que todo mundo é covarde, mas eu acho que é ele o covarde, que tapar os ouvidos assim não é a solução.

O apresentador limpa a garganta:

— Mas o que lhe faz dizer que ele está mudando?

Resposta atrapalhada de Claire:

— Na verdade, eu achei uma receita e vi que se tratava de hormônios. Fui olhar na internet, e vi que era o início da transição, como eles falam.

Mais uma vez um silêncio.

— Em seguida vão começar a crescer os seios!

Soluços na voz de Claire, e pânico na do apresentador:

— Olha, Suzanne, você dá a impressão de que está conseguindo lidar bem com a situação. Mas se você acha que não está bem, você pode pedir aos seus pais para ir consultar um profissional que possa te ajudar...

— Você diz "meus pais", mas isso quer dizer minha mãe e meu pai ou minha mãe e minha mãe?

Ela quase grita. A velocidade da fala se precipita:

— Porque eu vou chamar de quê, ele, quando já tiver os seios? A gente vai ter os seios crescendo ao mesmo tempo, eu e ele! Você se dá conta disso? Vivo numa família de loucos! E ainda por cima todo mundo vai zoar de mim no colégio! Como é que eu vou fazer? Dizer que meu pai morreu e voltou reencarnado? Olha lá, aquela mulher! Pois é ele! Ou melhor, é ela! Vou dizer o quê? Fazer o quê?

O apresentador tenta retomar:

— Se ele faz isso, é porque talvez não tenha escolha. Não creio que alguém decida virar uma mulher assim, do nada. Sabe, ele deve ter pensado muito.

A voz de Claire se estabiliza:

— Sim, é o que ele diz, que não tem escolha, que é uma mulher, que a gente ainda não vê isso, mas vamos ver em seguida. É por isso que comecei a observar bem ele, nos detalhes. Todos os dias, no café da manhã, eu fico cuidando. Discretamente. O que eu notei foi que ele está sempre com lágrimas nos olhos. Vêm sem aviso. Ele conta um negócio qualquer e a gente tem a impressão de que já vai chorar. Os gestos também mudaram. Não sei bem como explicar...

— E a sua mãe, o que ela diz?

— Não diz nada, não muita coisa, e eu me pergunto como ela pode continuar amando alguém assim...

— E você? Você continua amando o seu pai?

Silêncio prolongado. Resposta determinada:

— Sim.

— Pois bem, com a sua mãe deve ser a mesma coisa.

— Talvez...

— Vamos passar para uma outra ligação, Suzanne.

Claire desliga o telefone, depois escuta por alguns instantes o silêncio do seu quarto.

P *hallus, falo, pênis, membro, vara, peru, mastro, cacete, pinto, mango, pau, piça, mangalho, piroca, cambão, caralho, tora.*

Solange olha no dicionário online. Tantas palavras para uma coisa, e certamente ainda haveria muitas mais. Ela escolhe *pau*, definitivamente a sua preferida. Pau, pau, pau. Simples e eficaz. Palavra com a qual ela conviveu sem pensar, e que hoje está em vias de desaparecer. Em todo o caso, aquela com a qual compartilhou sua vida, em carne e sem osso, em ereção ou não, o pau de Laurent, que em seguidinha vai ser cortado.

Ela se pergunta que tipo de sexo eles terão. Sobra, claro, a língua, os dedos, os brinquedinhos eróticos (terreno até agora desconhecido para ela) e tudo o que a imaginação humana pode oferecer. A sua é extremamente restrita, se limita ao pau de Laurent. Logo esta entidade, *paudelaurent*, será desagregada, e vai sobrar apenas Laurent. Ela leu na internet alguns relatos de intervenções cirúrgicas. *A pele do membro é utilizada para a construção da parede vaginal.* Palavras simples e claras, de um alcance abissal, terrificante. A mesma pele para um outro sexo. Solange custa a acreditar no que vê, em todas aquelas imagens, em todo aquele vocabulário, tem vontade de bater com a cabeça numa parede.

Em poucos meses ela entrou em um universo desconhecido, escuro e escorregadio, tão distante do seu. Pensa com frequência em mandar tudo longe. Várias vezes por dia ela se diz que vai fazer isso, que é só uma questão de organização prática. Ela fica com a casa e com os filhos, e ele vai embora. Será simples provar sua demência diante do juiz. Como o senhor quer que ele eduque as crianças? Eu não sei quem ele é, e ele próprio também não! Ela teria documentos de todos os tipos de psicólogos. Ele faria as malas e ela fecharia a porta. Pronto! Uma vida acabada, e comecemos outra. A gente faz um stop e esquece tudo.

Mas Solange permanece ali, sufocada pela incerteza. Isto vai ter que acabar, a gente vai sair deste pesadelo absurdo, tudo vai se acalmar, é só um mau momento a passar. Eu aguento o tranco. Sempre me safei. O que não mata deixa mais forte, não é? Vou acabar culturista. No entanto, eu ainda o amo. No entanto, imagens de nossa cumplicidade me vêm. E não consigo acreditar que um laço tão forte assim possa se romper.

Então a vertigem toma conta dela, e tudo vacila, ela não tem mais nenhuma ação. O destino vai decidir sem que ela tenha algo a dizer. Nada além de esperar, esperar e ainda esperar.

Solange remexe nervosamente em sua bolsa, pedem-lhe que insira o cartão de crédito para pagar o quarto, ela prefere pagar em dinheiro, mas não encontra a carteira. O jovem da recepção a olha com um sorriso de desdém. Ninguém é bobo. Um quarto de hotel pago em dinheiro àquela hora, isso cheira a sexo. E daí? Mas ela não consegue assumir, ter um ar despreocupado. Não, aquilo mais parece uma primeira vez desastrada. Ela parece uma idiota. Põe sobre o balcão as chaves da casa, do carro, os cigarros — não parou mais desde o Zanzi —, seu pequeno estojo de maquiagem e, enfim, a carteira. Por que estou tremendo assim?

Estende duas notas de cinquenta. O jovem lhe devolve vinte e quatro euros e a chave do quarto 52. No quinto andar, pelo elevador, ou então há as escadas à direita. Ele ostenta sempre o mesmo sorriso, ela não o escuta, já está no elevador.

Lá em cima, o carpete se mostra gasto em determinados pontos, há um cheiro de perfume barato para disfarçar os odores de umidade e cigarro. Ela pega o corredor no sentido trocado, dá meia-volta, encontra o quarto, abre. A bola do chaveiro bate contra a porta.

Solange senta na cama, faz pressão no colchão. É mole, só falta ranger. Em seguida vai inspecionar o banheiro:

chuveiro, vaso, em cima da pia dois pequenos sabonetes embalados. Ela põe um no bolso, olha as horas. Gaétan deve chegar em vinte minutos.

Ela tira o casaco e os sapatos, as meias também. Senta de novo na cama, mexe os dedos do pé e se pergunta, de repente, o que está fazendo ali. O que foi que me deu? Sente uma aspiração violenta do interior dela mesma, que deixa um grande vazio, um grande desespero.

Tarde demais para vacilar ou refletir. Batem na porta. Ele está adiantado. É Gaétan, Gaétan, Gaétan, ela repete o nome enquanto se dirige à porta. Ele entra. Jeans, tênis. Ela é fulminada pela sua juventude, mesmo que ele tivesse lhe escrito que tinha vinte e três anos. Mas aquela pele, aqueles olhos... Meu Deus. Não, Gaétan não poderia ser meu filho, ele não se aproximaria assim para me beijar.

Ele tira a jaqueta, tem pressa. Quer tirar-lhe a roupa. Ela diz:

— Espera, espera, deixa eu tirar. É muito simples. Você não se mexe...

Ela vai até a janela, baixa a persiana rolante, fecha as cortinas com um gesto seco, apaga a luz. Ela quer a escuridão absoluta para não ver, mas sentir. Sentir com a boca somente. Gaétan está nervoso, gesticula no escuro. Ela diz para ele não se preocupar, que ela também tem medo, que é incapaz de ver outro corpo que não seja aquele que ela conhece, aquele que ela ama.

— Não tire a roupa, Gaétan. Está tudo bem, fique parado.

Ele prende a respiração. Ela se ajoelha à frente dele, abre o botão da calça, tira delicadamente o pau já ereto e o leva à boca. Ela já não hesita mais. Sente-o, respira-o. É suave, o cheiro é diferente. O jovem acaricia seus cabelos, balbucia: Por favor... Eles são felizes ali, os dois. Eles se encontram.

Laurent se decidiu em poucos minutos. Sob a ducha, de manhã mesmo, tocou o peito e sentiu as auréolas inchadas. Pronto. Se não tivesse se segurado, teria gritado de alegria, chamado os filhos e Solange para mostrar-lhes. Tem vontade de ir ao centro comercial, comprar umas roupas, festejar aquilo. É sábado. Ele diz a Solange que vai fazer umas compras.

— Quer que eu vá com você?

— Não, não, não vou demorar muito...

Quero ficar sozinho, sem pressa, por uma vez que seja, pela primeira vez.

Vai primeiro na butique de lingeries, reconhece a vendedora, cumprimenta-a. Tem bastante gente, uma certa confusão, mas ele sabe exatamente o que busca. Apanha duas calcinhas e dois sutiãs combinando, se dirige aos provadores.

A vendedora se aproxima:

— Posso ajudar, senhor? É para sua esposa?

— Acho que já encontrei o que precisava. E é para mim mesmo, obrigado.

Laurent fala com um grande sorriso. A jovem, um pouco desconcertada, responde:

— Ah, sim... O senhor pode experimentar, claro.

Laurent puxa a cortina do provador, se despe, se olha,

se aproxima do espelho. Sim, meus seios estão crescendo. E passando a palma das mãos nas extremidades, os mamilos, dotados de uma sensibilidade nova, respondem. Ele se observa de perfil, admira o pequeno montinho, decide parar com a depilação com cera e fazer uma definitiva. Já é tempo.

Ele veste a calcinha, puxa o sexo para o meio das pernas, põe o sutiã; pegou o tamanho menor, que ainda assim não vai ficar ajustado. Não precisa mais mentir. A seda é bela e suave. Deseja comprar o mesmo modelo em duas cores diferentes. Põe de novo suas roupas de Laurent e paga. Depois entra em uma loja de roupas de grife.

— Bom dia, senhor, posso ajudá-lo?
— Sim, queria um conjunto de tailleur e saia.

E acrescenta, sempre sorridente:
— Para mim, por favor.

A vendedora, desta vez quase sem embaraço, parece feliz em ajudá-lo. Percorrem juntos a loja, comentam os modelos, os tecidos, os comprimentos. Laurent fica tão comovido com aquela atenção que de repente a pega pelo braço e agradece:

— Você não sabe o quanto representa para mim a sua gentileza...

Se olham por alguns instantes e continuam a caminhada pela loja.

Pendurados no cabide do provador estão agora dois tailleurs. Um turquesa e outro castanho-escuro. Laurent adora o turquesa, acha que o brilho da cor está em conformidade com o que ele afirma. Mas depois, graças à conversa com a vendedora, se convence de que o castanho é mais elegante, mais chique. Ele se entrega definitivamente à opinião da moça quando ela lhe diz que com aquele ele tem mais atitude.

— Faz tempo que não ouço isso.

— E, no entanto, você tem muita atitude!

Ele se olha uma última vez. Está tão feliz. Ele plana, flutua, se eleva acima dele próprio, da loja, do centro comercial, contempla tudo do alto, e é lindo. O mundo se abre, tudo é possível.

Ele se contorce para se ver de costas.

— Você tem certeza de que eu não pareço uma aeromoça com isso?

E caem na risada.

Agora só lhe faltam os sapatos. Ele entra na terceira loja. Salto alto, é o que precisa, mas um pouco mais baixos do que os do Zanzi, mais refinados. Não estou mais no exagero, quero a medida justa.

— Não, não é um presente, é para mim. Quarenta e dois, por favor.

Trazem os sapatos mais baixos. Ele experimenta vários pares, caminha, requebra sob o olhar estupefato dos clientes. Mas ele não os vê, está concentrado em seus dedos, suas pernas, seu corpo, neste pontapé que ele dá na vida, com atitude. Sim, com atitude, como dizia a outra.

Agora ele arruma as três sacolas dentro do carro. Nesta noite há uma festa no Zanzi, mas não sente vontade de ir. Não, ele quer ficar em casa com a família e passar o domingo pensando. Pensando na segunda-feira, quando irá ao trabalho como mulher. Ele não tem medo, é chegada a hora, mas sabe das reticências que vai provocar. Faz uma listinha: os que o rejeitarão, os que o apoiarão. No topo da última, Estelle, a amiga de sempre. Várias vezes ele quis lhe dizer, agora não sabe se lhe telefona para avisar, mas não, vai lhe fazer uma bela surpresa.

— Olhe pra mim, Estelle, olhe bem pra mim! A mesma pele, o mesmo coração, mas outro sexo!

Laurent se levanta, toma uma ducha, desce de roupão na cozinha. Apenas Solange e Thomas estão à mesa. Laurent lhes diz rapidamente que comprou umas roupas e que hoje vai trabalhar vestida como mulher. E acrescenta:

— E nos dias seguintes também. Já é tempo, já é mais que tempo...

Solange e Thomas ficam estupefatos. Laurent sobe outra vez e se dirige ao banheiro.

Desodorante, perfume Nº 5, o eterno, respirá-lo, inebriar-se com tudo o que ele carrega de fantasias, de rosas, de atrizes, de Marilyn, Marilyn... E de anônimas e seus rastros triunfantes, estonteantes por vezes, mas absolutamente femininos. Sou uma delas.

Os cabelos cresceram um pouco, uma mecha espessa cai sobre as têmporas. Mecha que ninguém notou, que permanece a mecha de Laurent, à época sem ainda nada pressagiar, mas que hoje é a promessa de outro cabelo, mais sensual, rebelde. Laurent não penteia a mecha, ela a deixa cair por cima do olho.

Laurent se veste: lingerie, meia-calça, tailleur, tudo muito rápido, sem a sombra de uma hesitação, depois se maquia com cuidado. Quando fica pronta, Laurent retorna à cozinha, o passo ajustado em seus sapatos de salto alto. Ela se sente linda, terrivelmente linda.

Agora Claire está ali, o rosto enfiado em uma tigela de

cereais. Rosto que se ergue bruscamente quando os saltos ecoam no piso. Sons jamais ouvidos àquela hora da manhã. Percussão que anuncia mudanças, que as enaltece. É a única a se extasiar. Com a boca cheia, ela exclama:

— Uau! Adorei!

Thomas se levantou de um salto, derrubando a cadeira no chão, saindo sem dizer nada a ninguém. Solange alcança uma xícara de chá para Laurent, que se senta e bebe tranquilamente.

Claire prossegue:

— Você vai trabalhar assim?

— Vou.

Claire limpa a garganta, hesita, mas pergunta:

— E vai levar a gente pra escola assim também?

Seu pai a encara demoradamente:

— Vou.

Eles não têm muito tempo para conversar. Toda manhã é assim, os minutos contados. Thomas diz que prefere ir ao colégio de bicicleta, mas rápido se resigna.

— Para de gritar, mamãe!

São sete horas e quarenta e três minutos, Laurent, Claire e Thomas escutam as notícias no rádio. Fora a motorista, tudo é como de hábito no carro. O trajeto dura uns dez minutos, mas, assim que chegam ao destino, os filhos escapam batendo as portas sem lançar um só olhar ao pai. Laurent não fica chateada com eles, é compreensível. É o primeiro dia para todo mundo.

No semáforo, ela verifica a maquiagem no retrovisor, ajeita a mecha, respira profundamente — estou pronta. Percorre o trajeto num estado segundo, estaciona no pátio da empresa, não encontra ninguém durante o caminho até o prédio, apanha o elevador sozinha, olha-se no grande espelho, pragueja contra aquela luz baça, sente as pernas tremerem, se pergunta se não seria melhor voltar atrás, telefonar para dizer que está doente. Mas as portas se abrem e ela vai, um passo depois do outro, ritmados pelos saltos.

Laurent passa por uma estagiária que não a reconhece. Não, a chegada apoteótica se dá na grande sala comum de longas bancadas e computadores, tão branca nesta manhã. Os rostos que se voltam e se perguntam por um segundo quem é aquela recém-chegada. Observam-na, atentam aos detalhes, se interrogam. E de repente um primeiro "Laurent?", seguido de um segundo, e corpos que se levantam, que se aproximam. Nenhuma risada, nenhuma piadinha, apenas estupefação pura.

Laurent não para, vai direto para sua mesa, pendura o casaco, abre uma gaveta e tira uma pasta cheia de papéis, sente os olhares em sua nuca, mas permanece calma, diz "Bom dia" com uma voz firme, cumprimentando os colegas para mostrar que é ela mesma, que não, não é uma piada — ninguém, aliás, pensou que fosse uma piada, todos entenderam que aquele bom dia não seria o último, mas o primeiro de uma longa série. Joël responde:

— Olá, Laurent! — e essa resposta rompe com a sideração.

Só tem uma que continua boquiaberta, uma só que se ergue no meio do open space e que berra:

— Mas quem você pensa que é? Uma bicha? Perdeu a cabeça ou o quê? Você se dá conta de que está fazendo papel de idiota?

Cynthia,
Consegui, consegui. Foi como uma revelação, de manhã, tomando a ducha. Tenho que me mostrar. Meus seios estão crescendo, Cynthia. A emoção que é tocá-los! Todos estes anos sem nada, o peito liso. E agora, pronto, eles começam a apontar, estão chegando, nascendo, e eu com eles.

Sábado à tarde fui ao centro comercial comprar umas roupas para mim. As do meu primeiro dia, da minha saída do armário. E hoje de manhã eu me vesti, me maquiei, mas sem peruca. A peruca é Mathilda, o Zanzi, a mulher de dentro, que não existe verdadeiramente. Sem peruca sou eu, a verdadeira, sem truques.

Estava muito segura em casa, diante das crianças e de Solange, porque eles sabem, e porque me vestir como mulher é apenas uma etapa suplementar, muito importante, flagrante mesmo de minha transição, mas no escritório ninguém sabia de nada. No elevador, subindo os andares, eu hesitei, e todo o corpo junto. Talvez tenha começado no carro, não sei mais. Me olhei umas cinquenta vezes no espelho do elevador para ver como estava minha mecha, minha maquiagem, meu rosto. Meu rosto, o mesmo e não exatamente o mesmo. Fiquei em dúvida se voltava ou não. Mas as portas se abriram e eu fui, já totalmente insegura, balançando sempre, o cérebro em ponto morto, incapaz de formular um pensamento sequer. Passei por uma estagiária que não me reconheceu, então eu me disse que ninguém iria me reconhecer e que eu poderia me sentar tranquilamente à minha mesa que eles não perceberiam nada.

Quando entrei, teve um momento de silêncio em que os rostos se voltaram para mim. Mas ninguém dava um suspiro. Quem é? Eu já não sabia se devia avançar ou não. Eu tinha a respiração trancada. Mas consegui chegar até a minha mesa, me sentar e dizer bom dia. Era preciso quebrar o silêncio, fazer como se tudo fosse normal. Minha voz de Laurent foi quem disse que eu estava ali, que eu estou, de uma outra forma, mas estou. Todo mundo entendeu, menos Estelle. Ela foi até o meio do open space, começou a berrar, me chamou de bicha e de idiota, numa confusão total, completamente histérica. Aqueles insultos foram uma punhalada. Ela era a única com quem eu contava. Estava pronta para afrontar todos os outros graças a ela, convencida de que me apoiaria. Depois eu me lembrei do que você havia me dito: a gente não sabe nunca de onde vêm os golpes, e os piores vêm quase sempre dos mais próximos.

Então não me mexi, pus-me a trabalhar como todos os dias, e ninguém me disse nada. E Joël tirou Estelle dali. Ao meio-dia comi um sanduíche ali mesmo na minha mesa. Senti medo durante todo o dia. Estava ao mesmo tempo apavorada e muito feliz. Tem alguma coisa que exulta em mim, alguma coisa que vibra muito profundamente.

Logo caí na realidade: no fim da tarde, Thierry, o chefe, me enviou um e-mail dizendo para eu marcar com o Departamento de Recursos Humanos. Não demorou, está vendo? Mas não vou dar para trás. Agora é tarde demais, muito tarde demais. Agora vou até o fim.

Um beijo,
Laurent

Thomas e Laurent estão no carro, vão a um jogo de futebol. Escutam o rádio. Nenhuma palavra entre os dois, cada um perdido em seus pensamentos, paralisados. Laurent decide romper o silêncio:

— Thomas, é assim, eu não vou colocar roupas de homem de novo só pra te agradar. Aceite e pronto! É um problema pros outros, não pra nós!

— Então fique em casa! Por que tem que vir te exibir aqui? Não percebe que me faz passar vergonha! Como é que eu vou te dizer isso? Me deixe na esquina e eu continuo a pé!

— Não, Thomas, isso não adianta nada. Mais cedo ou mais tarde eles vão saber! Assim eu posso explicar pra eles com calma e tudo vai dar certo, você vai ver...

— Não tem nada a ver, nada a explicar! Você é completamente maluco, só isso!

Laurent procura manter a calma. Gostaria que o filho compreendesse que tudo é muito mais simples do que ele imagina. As pessoas são inteligentes, não são idiotas.

Quando param no semáforo, Thomas apanha a mochila e tenta sair do carro, mas as portas estão fechadas.

Laurent começa a gritar:

— O que é isso? O que você tem na cabeça? Se tem um maluco aqui, é você. Fique aí! Eu te levo até lá e pronto!

Thomas, fora de si, se agarra à porta:

— Me deixe sair! Não quero mais ficar perto de você! Me dá nojo. Você só pensa em si mesmo. Não se dá conta de todo o mal que faz pra gente. Está se lixando completamente! Pensa só nos seus vestidinhos, seus cabelinhos, suas tetinhas. Pois bem, quer saber de uma coisa?

Ele se volta para o pai, furioso:

— Você é detestável, feio, abjeto! Parece um traveco requebrando. E os seus gestos? E suas mãos? Você já se olhou no espelho? As pessoas dão risada nas suas costas. Eu não quero mais te ver. Quero me mandar pra longe. E você vai poder se fantasiar tranquilamente de velha otária. Sim, porque eu entendi bem que não se tratava de um otário, mas de uma otária!

Laurent não avança. O sinal verde já abriu faz alguns segundos. Ela está petrificada. Cada uma das palavras do filho a lacera. Os motoristas atrás deles buzinam. O sinal fechou de novo sem que o automóvel tivesse avançado. Então, sem dizer mais nada, Laurent destranca a porta e Thomas salta do carro. E bate a porta. Laurent fica sozinha. Precisa ainda de alguns instantes para conseguir pôr o carro em marcha e estacionar um pouco mais adiante.

Ela está completamente atordoada, se agarra ao volante e de repente começa a soluçar. Nenhuma lágrima, mas sobressaltos que a sacodem, que fazem suas costas saltarem e baterem de novo brutalmente no encosto do banco. Ela não aceita que seja assim tão difícil. Agora que os anos de dúvida passaram, ela gostaria que todos a encorajassem. Por que eu tenho que seguir sozinha? Por que Thomas não me vê?

Ela berra dentro do carro:

— Olhe pros meus olhos, olhe pras minhas mãos, olhe pra mim! O que é que isso muda?

Laurent sabe bem que aquilo muda tudo. Mas é tomada por uma terrível impaciência. Muita espera, décadas perdidas a errar. Fui covarde, sou covarde. E agora o filho que foge dela. Será que vou ter que escolher? A verdadeira questão é essa. A gente deve ser o que os outros veem, ser da maneira como os outros nos amaram?

A nova aparência de Laurent rompeu o único laço que ela pensava inalterável: o laço com os filhos. Pensei que o amor lhes bastaria para que aceitassem. Como pude ficar cega a este ponto?

Sim, Thomas tem razão. A única coisa que conta para mim hoje em dia é ser aquela que sou. Não há nenhuma fronteira entre ela e eu. Somos uma só. É apenas uma questão de gênero. Eu vi seu olhar mudar e pensei: isso vai passar. Mas não passou. E eu continuei, apesar de tudo. Porque sou levada, transportada. Ao contrário do que você pensa, não tenho escolha. E mesmo se não consigo te explicar, eu vou continuar. Mesmo que você ache que é uma loucura, uma bizarrice de velho. Você não pode imaginar a força de que necessito. Não pode imaginar também que essa força eu tiro do amor que tenho por ti e por Claire. Quero te mostrar que é preciso ser a gente mesmo, apesar de todas as provações, apesar da incompreensão. Sim, esta coragem, é você que me dá.

Laurent continua estacionada, o pisca-alerta ligado. Ela escuta várias vezes a canção de Melody Gardot, mas lhe é indiferente. Está perdida, não sabe se vai ao estádio ou se volta direto para casa. Dirige a esmo naquelas ruas mal iluminadas de subúrbio, fachadas tristes. Enfim decide reencontrar Thomas e o avisa com um SMS:

Estou estacionada no pátio do estádio, não vou sair do carro. Mas espero você.

Ela acrescenta: *Te amo*, antes de apagar a frase.

Joël e Laurent estão sozinhos em uma sala da empresa, tomando café.

— Queria ter falado com você antes, mas esperei porque gostaria que a gente pudesse conversar, não somente te transferir as mensagens dos colegas. Somos muitos a te apoiar. Não se deixe levar. Mas se Estelle continuar assim, ela vai realmente acabar por minar a moral de todo mundo aqui...

Faz dez dias que Laurent vem trabalhar vestido como mulher. Dez dias também que ela não dirige mais a palavra a Estelle, nenhum gesto, nem sequer um olhar. De volta ao seu computador, Laurent lhe escreve:

Nos encontramos no chinês ao meio-dia, POR FAVOR!

De longe, Laurent a observa, se concentra no rosto dela ao ler o e-mail, as sobrancelhas que se franzem, o suspiro exasperado que escapa de sua boca, depois os olhos que se cruzam com os seus. Laurent vê que ela hesita, mordisca o lábio inferior e por fim acena com a cabeça. A gente se encontra no chinês.

Algumas horas depois, elas estão uma em frente à outra. Pedem os mesmos pratos de sempre. Bebem vários goles de Tsingtao em silêncio. Hoje beberão duas cervejas cada para matar a sede e para falar. Laurent não deixa nunca de olhá-la nos olhos:

— O que te incomoda tanto, Estelle?

Ela come um rolinho primavera com a cabeça baixa, sente-se como que apanhada em uma armadilha.

— O que me incomoda tanto?

Ela não sabe, na verdade, mas agora que está ali, na frente dela, de Laurent, daquela mulher, ela lhe deve uma resposta.

— Eu me sinto traída...

Sua garganta parece mais solta, o ressentimento e a raiva se esfumam. Sim, ela quer lhe dizer o quanto foi pega de surpresa, ao passo que deveria ter sabido antes de todo mundo:

— Como é que você pôde passar todos esses anos almoçando aqui comigo sem me falar nada? Você é o homem a quem eu falo tudo, meu confidente. Eu teria te ajudado, com certeza apoiado! Teria entendido! Mas não, simplesmente um dia você chega assim!

Ela retoma o fôlego:

— Isso me magoou profundamente...

Laurent pousa o copo na mesa, com o polegar apaga a marca do batom fúcsia que deixou na borda:

— Entendo que você tenha se sentido traída...

A outra a interrompe:

— Enganada mesmo. Eu pensei: esses caras são todos iguais, só sabem enganar, enganar, enganar! É só o que sabem fazer!

O olhar de Laurent fica mais severo:

— Eu sou uma mulher, Estelle. Em duas frases, você disse "homem" e "cara". Agora escute bem. Faz anos que eu me debato com isso, e não posso te contar, em um almoço, todo o tempo que eu passei duvidando, lutando contra mim mesma. E você sabe, as nossas conversas eram os raros momentos em que eu me sentia eu mesma. Várias vezes pensei em te falar. Mas entre nós, era você quem falava mais. Eu estava ali apenas pra te escutar, pra te dar conselhos às vezes. Você não perguntava sobre mim, e no fundo isso me servia. Nada a assinalar. Circulando.

— É verdade, você tem razão...

— E depois eu estava sempre confusa, tudo era muito contraditório em mim. Durante muito tempo acreditei que ser pai seria suficiente pra eu continuar homem. Era com esse tipo de certezas que eu esmagava a mulher lá de dentro. De vez em quando, e isso era mais forte do que eu, eu me travestia e saía pra dançar. Eu era Mathilda. Ia ao ZanziBar com as amigas. Peruca, seios falsos, salto alto. Faz alguns dias, compreendi que Mathilda não era a mulher que eu era de fato, que ela era uma mulher de passagem. Eu vou me operar. Já comecei com os hormônios. Agora vou até o fim, Estelle. E isso eu ainda não disse nem pra Solange.

Estelle começa a chorar, uma avalanche incontrolável de soluços. Laurent pega a sua mão. Ela balbucia:

— Desculpe... Não sei por que estou chorando desse jeito...

— Não se preocupe. Entendo que seja difícil aceitar. É repentino. Precisa de tempo. Mas esta que está na sua frente sou eu, sempre fui eu.

Estelle dá um leve sorriso:

— Você é linda, você é forte...

A voz de Laurent começa a tremer:

— É agora que eu preciso de você. Me sinto tão frágil às vezes...

Ela interrompe :

— Entendi, Laurent. Entendi. E eu estou aqui, com você, homem ou mulher.
— Mulher.

— Lauren. Sim, eu acho que vai ser Lauren.

Laurent e Solange estão na sala, tarde da noite, razoavelmente bêbados. Faz horas que conversam, um copo na mão, gim para ela e uísque para Laurent, Solange fuma um cigarro atrás do outro, já renunciou a se esconder, se refugiar no jardim, agora fuma dentro de casa e pronto. Em outras circunstâncias os filhos os advertiriam, enumerando os danos do tabagismo, mas, em comparação à metamorfose do pai deles, os cigarros passam despercebidos.

A conversa gira em torno de Thomas e do silêncio no qual ele se fecha, da revolta que a situação gera nele. Solange está calma, não critica Laurent. Desde que começou a se encontrar com Gaétan ela consegue manter uma distância saudável, consegue não mais sofrer, não mais se sentir vítima. GaétanGaétanGaétan, a qualquer hora do dia, como um talismã. Em poucos segundos ela está na escuridão do quarto do hotel, a boca cheia de Gaétan-GaétanGaétan.

Naquela noite, no sofá, um diante do outro, Laurent e Solange estão cuidadosas, ultrapassam suas incompreensões, gozam seus vinte anos de vida em comum, de diálogo, de intempéries, de olhares dirigidos de uma a outra, o que lhes permite, naquele momento, uma escuta profunda, englobando passado, presente e futuro.

Laurent explica a viagem que projeta fazer para a Bélgica:

— Tem a Espanha também, é mais barato, mas a Bélgica me parece mais simples, eu tenho um contato direto com o cirurgião de lá. É fundamental que eu sinta confiança.

— Sim, claro, você tem toda a razão.

Solange solta a fumaça do cigarro, observa Laurent por alguns instantes antes de acrescentar:

— Não consigo acreditar que a gente possa ter este tipo de conversa. Ao mesmo tempo é súper bonito e completamente maluco. Nada excedia na nossa história, e você veio explodir tudo.

Laurent se agita, quer se justificar, mas Solange o interrompe:

— Não, não diga nada, é assim... Você nos empurra até os nossos últimos limites.

— Quais são os seus limites, Solange?

Ela hesita, já compreendeu as virtudes do silêncio, do que se tem dentro de si. Durante muito tempo acreditou que compartilhar era a única maneira de existir. Eu sou o que te digo. O que eu não te digo não existe.

Ela responde:

— Eu também me descubro, sabe? Coisas que eu jamais teria imaginado...

Laurent evita, segue apenas o seu próprio pensamento:

— Tudo vai levar meses. Essa viagem não é pra amanhã. Mas eu queria te falar de Lauren. É o nome que me parece mais adequado. Já não posso mais com Laurent. Vai me ajudar a esperar até a operação, a carteira de identidade e todo o resto. Lauren é uma mudança que se realiza já, entende?

— Lauren, é bonito... Mas sabe, eu não estou certa de conseguir. Pra mim você é sempre a mesma e única pessoa.

Ela solta várias baforadas de fumaça e olha demoradamente aquela que ainda é o seu marido.

É no meio da noite que as dúvidas assaltam Lauren. Dentro da barriga, soldadinhos de chumbo, bem tesos, enfileirados, imóveis e que lançam um ataque meticuloso, daqueles preparados há meses, que se escondem, protelam, fintam, tomam de surpresa, certos do que fazem.

Toda a coluna vertebral de Lauren se imobiliza, é um tubo de aço, longo, liso, ao qual não se pode se agarrar. Os soldadinhos se propagam em torno dela, se multiplicam a uma velocidade alucinante. Lauren tem a respiração cortada, com a impressão de que, se não se levantar já, vai morrer esmagada. Senta na beira da cama. A respiração de Solange não se alterou, ela dorme.

Lauren quer aliviar aquele peso e cuspir fora cada um dos soldadinhos, um por um, até o último. Depois ela volta e se deita de novo. De manhã vai se maquiar, tocar os seios para verificar que eles continuam crescendo bem e irá ao trabalho. Mais nenhum rastro, apenas um pesadelo.

Suas pernas estão rígidas, tem de se apressar. São duas e meia da manhã. Tem dificuldade para se pôr em pé. Está persuadida de que quanto mais se mexer, mais leve vai ficar. Me soltar, me soltar. Consegue enfiar uma calça de abrigo, um suéter com capuz e seus tênis. Quer andar de bicicleta. Desde que começou a tomar os hormônios, seus músculos amolecem. A sensação é desagradável. Com frequência ela se sente completamente mole. Toca as coxas. Moles, moles.

Sem fazer barulho, desce até a garagem, tira a maleta, sempre escondida no espaço do estepe do carro, puxa a peruca de Mathilda, a põe na mochila e, antes de sair, acrescenta uma pazinha.

Sobe na bicicleta, treme de frio. Com a mochila nas costas e os soldadinhos na barriga, ela tem a impressão de se esmagar contra o banco da bicicleta, mas pedala convicta, sabendo exatamente aonde vai. Não pensava que faria aquilo, parecia-lhe inútil. Detesto as metáforas e os símbolos.

Passa por várias rotatórias, deixa o Zanzi à direita, parte em direção ao campo. Tem um lugar perto do riacho. Ela não foi lá muitas vezes, mas se lembra perfeitamente da primeira impressão. Primeiro, a luz; uma tarde de verão, malvas-rosas em abundância, macegal alto, um canto esquecido pelos tratores e pelos homens. Tudo ali crescia ao sabor do sol e do vento, sem nenhum empecilho. Laurent tinha ficado encantado, os olhos de repente plenos de beleza. Poderia ter imaginado que um dia Lauren viria ali para se livrar de suas dúvidas? Naquela noite profunda, os símbolos tomam uma forma inesperada.

Ela encontra o lugar, as rodas finas da bicicleta não são adaptadas ao terreno: pedregulhos, montes de terra, plantas que se engancham nos raios. Ela continua a pé, iluminando o caminho com a lanterna do celular. Nenhuma luz por ali, apenas a escuridão e o assovio do vento nas macegas, que se deitam à passagem dos pés. Aqui estou, agora vai.

Lauren tira a mochila e se deita sobre o capim, os braços em cruz, o rosto para o céu. Pouco a pouco, ela percebe as estrelas, à espreita do mínimo movimento dos soldadinhos. Eles não se mexeram desde a saída de casa. Esperam, imóveis.

Quando a umidade começa a impregnar suas roupas, Lauren se levanta e, de cócoras, abre a mochila, pega a peruca. Acaricia o chão, arranca alguns maços de ervas daninhas e começa a cavar. Quando o buraco está grande o suficiente, ela deposita delicadamente ali dentro a peruca. Dentro do estômago, os soldadinhos se agitam como loucos, perfurando-lhe as membranas. Lauren tapa rapidamente as mechas loiras com terra. Minhas dúvidas desaparecem. Na última mecha, já não haverá mais dúvida.

Dentro da noite escura, ela bate com o punho o montinho de terra. Lauren bate, dá socos.

Eu te enterro, Mathilda.

Eu sou Lauren.

Desde que Laurent é Lauren, eles passaram por momentos capazes de desmantelar tudo, por estas tempestades em que se reza para que o barco não se esfacele de um golpe.

Teve primeiro a reunião com a direção de RH na sala dos Cafeólicos. Todo mundo tenso. Thierry, engravatado como um bom chefe, de repente se mostrava rígido; Joël, representante sindical, com piscadelas insistentes demais; a diretora de RH, sentada ao lado de Estelle. E Lauren, com seu tailleur do primeiro dia, a mecha com laquê, a base luzindo um pouco, os lábios comprimidos. Croissants e café na garrafa térmica, pratinhos de plástico. Falam um pouco sobre o tempo, e em seguida Thierry começa:

— Laurent...

E é logo interrompido por quem é o centro da reunião:

— Lauren, por favor.

Thierry revira os olhos, dá um suspiro e prossegue:

— Pois é exatamente esse o problema em que você está nos colocando. Toda a equipe está meio que siderada. Mais ninguém trabalha. Eu te peço pra voltar à razão e a gente vai trabalhar como antes, unidos. Você nos faz falta, não conseguimos mais te reconhecer. A gente compreende que você passa por um momento difícil, mas se recomponha, por favor!

Joël intervém:

— A sideração de que você fala é justamente o que provoca a exclusão. Nossa empresa deve ser uma empresa da fraternidade!

Ele se inflama, todos sabem que é imparável sobre a solidariedade entre assalariados, a história da luta operária, as injustiças dos trabalhadores em relação ao patronato. O discurso que não quer ouvir Lauren.

— Não confunda tudo, Joël!

Ela se volta para Thierry:

— O que te incomoda, de verdade? Você poderia sinceramente afirmar que eu sou menos eficaz do que antes?

O chefe se mexe na sua cadeira, enxuga uma gota de suor na testa.

— Você sabe, se dependesse só de mim... Todo mundo é livre pra fazer o que quer, homens e mulheres. Mas eu sou obrigado a falar do ponto de vista coletivo da empresa, entende?

— Não!

A resposta fustigante de Lauren paralisa todos. Estelle entra em cena:

— Tudo isso é culpa minha. Não deveria ter enviado aqueles e-mails. Acabei fazendo com que a gente ficasse uns contra os outros. Ou melhor, todos contra um... — Ela se corrige: — Contra uma e, sinceramente, eu lamento muito.

Lauren responde dizendo que ela apenas exprimia um sentimento latente e que era simplesmente a única a conseguir verbalizá-lo.

— O fato de eu ser uma mulher incomoda vocês todos. Eu entendo, vocês vão terminar por aceitar. Mas seria uma razão válida para que eu perca meu emprego?

Joël se insurge:

— Somos todos iguais em direitos, temos o trabalho que merecemos, não tem nada a ver com gênero.

A diretora de Recursos Humanos bate com a caneta na mesa, pedindo silêncio.

— Lauren, seu lugar na empresa não está em causa. Nós queremos somente te propor um posto em Brest. Você poderia recomeçar do zero. Seria tão melhor para você.

Sorriso meloso. Gentilmente estão mandando-a embora.

Lauren se levanta de um salto, arruma o cabelo e avisa que vai constituir um advogado, que ela irá até o tribunal de trabalho se for preciso, que o seu lugar é ali e que eles são mesmo muito idiotas para não perceberem isso.

E deixa-os olhando um para a cara do outro.

Depois teve a reunião com o diretor da escola de Thomas. Após muitas conversas ameaçadoras por telefone, cartas oficiais de consternação, de indignação, seguidas de reprimendas, punições e exclusões. Reuniram-se todos, salvo Claire, em uma sexta-feira às dezoito horas no escritório do diretor.

Lauren se lembra do olhar que o diretor lançou sobre ela. Incredulidade total, seguida de um aperto de mão hesitante, tudo com os olhos arregalados. Como se estivesse diante de uma assombração.

Thomas tinha se atirado na cadeira, braços cruzados, as costas arqueadas, as nádegas praticamente na borda, perigando cair a qualquer momento, as escápulas fechadas, regularmente sacudidas por risinhos de troça, os fones de ouvido guardados no bolso. Quanto a Solange, ela estava a um passo de perder os sentidos. Estar ali, diante daquela figura de autoridade, era bem a prova de que o edifício familiar não era mais do que uma ruína. Apenas Lauren sorria. Não via de fato onde estava o problema. Porém, problemas era o que mais havia: abandono da escola, insulto aos professores, repetidas grosserias para com os colegas. O diretor acabara por lhes dizer:

— Vai ser preciso achar uma solução. — Acrescentando, depois de um silêncio: — Longe daqui.

E agora tem esta carta. Lauren a segura nas mãos, não sabe o que fazer com ela. Sobe até o quarto de Thomas, bate na porta, ele termina por abrir.

— A resposta está aqui.

Thomas arranca-lhe o envelope, lê rapidamente e de repente pula de alegria. Sem sequer olhar para o pai, ele desce correndo as escadas, atravessa a sala e abraça a mãe:

— Eles me aceitam! Eles me aceitam, mamãe! Eu vou para o internato!

E Thomas partiu, deixando a casa silenciosa. As crispações em seus rostos quando os passos pesados ecoavam na escada de repente desapareceram. Nenhuma tensão à noite, durante as refeições.
Claire fala tanto quanto pode. O mutismo de seu irmão a paralisava. Ela havia se convencido de que a mínima observação poderia ofendê-lo, porque era disto mesmo que se tratava, de tomar partido, e desde o início ele já tinha acusado-a de ser apenas "a filhinha de sua mamãe e da otária". Ela se revoltara várias vezes, depois compreendera que não adiantava nada, que só alimentava ainda mais a fúria dele. Então se calara e, quando sentia que se aproximava da implosão, repetia para si mesma: isso passa por mim, desliza, vai embora e não me faz nada. E muitas vezes funcionava.

O método tinha se mostrado tão eficaz que ela começara a utilizá-lo para tudo. Quando o pai a deixava na escola e, malfadadamente, ela cruzava o olhar com o de outro pai de aluno. Isso passa por mim, desliza, vai embora e não me faz nada. Conseguia, assim, se isolar internamente dos outros. Existe, mas eu não vejo. E se eu não vejo, quer dizer que não existe de fato. É simples, fechar os olhos, concentrar-se e pensar em outra coisa.

Ela havia falado a respeito com algumas amigas, sem desconfiar de que o colégio inteiro já estava sabendo, mas ninguém ousava se aproximar para lhe perguntar. Faltavam a eles as palavras. Havia Émilie, que achava absolutamente genial ter um pai assim tão forte. Várias vezes ela dissera: "Eu admiro ele, de verdade", antes de acrescentar que, em sua casa, a única coisa que o pai fazia era gritar com a mãe dela, que em todas as casas havia histórias bizarras e que a gente não sabe nem a metade... A sua é só um pouco mais bizarra que a dos outros, mas francamente, não te preocupa! E Claire acreditara nela, dissera-lhe que era a melhor amiga do mundo, sobretudo depois que Thomas tinha ido embora e que ela se sentia tão sozinha. Porque no fim das contas, com seu silêncio e sua cólera, ele acabava por ser um desvio. Agora, quando estou à mesa, é para Solange e Lauren que eu olho, e às vezes isso me desespera.

No sábado pela manhã, Claire e seu pai têm um ritual. Vão à padaria juntos. Durante anos foram de mãos dadas. À medida que Claire foi crescendo, uma leve distância se instalara e as mãos se soltaram, mas o ritual permaneceu. Com Laurent ou Lauren, a cada semana a dona da padaria foi percebendo a mudança. Ela sempre evitava pousar seu olhar muito demoradamente sobre o homem se tornando mulher. Um simples canto de olho, um bom dia cordial e um "em que posso servi-los?" fixando-se em Claire, alcançando a ela o saco com os croissants e lhe dizendo, sem desviar o olhar, o valor a pagar, invariável este também. Claire dá sempre um jeito de ter a quantia exata para sair o mais rapidamente possível da loja.

Neste sábado elas saem às nove horas. Caminham devagar, conversam um pouco. Alguma coisa no andar de

Lauren ficou mais suave, um leve bamboleio marca o ritmo de seus passos. Seus cabelos cresceram, agora roçando os ombros, e a mecha, cortada um pouco mais curta, ondula em sua testa.

A dona da padaria não a reconhece. Lauren vai na frente da filha, entra sorrindo, é recebida com um "bom dia, senhora" franco e alto. Três palavras que ricocheteiam contra as paredes da loja antes de repercutirem no espírito de Lauren. Alvo atingido, na mosca.

O primeiro "bom dia, senhora", aquele que soa perfeitamente e que muda uma vida. Que não é um desprezo, mas uma afirmação.

Claire também compreende a justeza das palavras e, tomada pela surpresa, abre a mão, deixando cair sobre as lajotas vermelhas e brancas quatro euros e oitenta centavos em pequenas moedas que, uma depois da outra, vão pulando no chão.

A pele de Lauren. Solange deseja percorrê-la para não esquecer sua textura. Elas estão deitadas e agora têm os rostos voltados uma para a outra, os olhos fechados.

Não quero esquecer aquele que você foi. Eu te acariciei durante anos sem pensar. Agora você está aqui e em outro lugar.

E suas mãos começam a se movimentar. As faces, pelos eliminados através da depilação definitiva. Solange tenta se lembrar da barba crescendo, quando, sob os dedos, ela a sentia despontar, quando surgia na borda do lábio superior e tornava o beijo áspero. Agora ele é macio e imberbe.

Minha memória frágil vai apagar todas as marcas de antes.

Ela se demora sobre o pomo de Adão. Vestígio de uma voz, de uma primeira mudança, que passando de uma oitava a outra, o havia lançado no mundo dos homens. Lauren engole, seu pomo de Adão desliza de alto a baixo sob os dedos de Solange. Ela ri daquele movimento mecânico do corpo que continua sua própria marcha, escapando dos hormônios. Deglutição, aspiração, respiração, voz, sopro, nada daquilo é forçado, tudo funciona apesar da transformação.

Haverá, portanto, alguma coisa de antes que ficará em minhas mãos, que não vai mudar, que será potente.

Os ombros perderam os músculos. O osso aparece mais saliente. Os braços amoleceram. Somente a articulação do cotovelo interrompe aquela fragilidade fina. Perturbadora descoberta, estes bíceps amalgamados ao osso. Restam, após os punhos, as mãos, que não mudam. As juntas proeminentes, palmas que de repente parecem muito largas, em desarmonia com os braços, como entregues a elas mesmas. Mãos gigantes com pulsos frágeis. E as de Solange tremem ao acariciar o torso de Lauren. Poderiam evitá-lo, mas decidem se deter um pouco por ali. É o momento de sentir, ao menos uma vez, os seios. Auréolas como bulbos quase desabrochados, pele fina, macia contra a palma da mão.

Não tocá-los com meus dedos, roçá-los apenas, com as mãos abertas.

É este leve toque que indica sua espessura, a densidade, a sensibilidade nascente. Improvável percurso neste corpo amado, de repente desprovido de referências.

Como você mudou, ela murmura perto da boca de Lauren.

E aquelas palavras ecoam no céu das duas bocas.

Você desaparece de minha paisagem interior. Eu te toco, porém já te perdi.

Delicadamente, Lauren leva a mão de Solange ao seu sexo. O *paudelaurent* continua pendurado no corpo de Lauren. Carne de uma antiga identidade da qual o vigor foi embora. Solange a acaricia com uma ternura diferente. Elas se conhecem tão bem.

O *paudelaurent* devia ser o de sempre, e agora lhe vem imagens de Gaétan. O gosto diferente, pouca coisa mais amargo.

De suas bocas, tão próximas agora, escapam apenas uns frágeis suspiros. Reminiscências de uma vida que vemos se afastar sem poder alcançá-la. Lembranças encarceradas de beijos, de línguas unidas, de lábios colados, de prazeres. Seus suspiros se enchem de todas essas recordações, transportando-as de um espírito a outro, traçando uma linha flutuante, por vezes vacilante, mas contínua. Expressão requintada de uma vida hoje desnorteada e contrastante.

O que lhes resta? Uma memória comum e um presente esquartejado.

Deliberadamente, Victor escolhe o mesmo momento que Lauren para levar o lixo para fora. Ele rira bastante com Solène, sua esposa, da outra vez, ao contar o encontro com Laurent e sua peruca loira meio de lado na cabeça. Eles fazem este tipo de festa! Poderiam ter nos convidado, depois de todo este tempo que a gente se conhece!

Victor e Laurent nunca foram de fato amigos, mas sempre bons vizinhos. Quando a família Duthillac se instalou no bairro, Victor e seus familiares os acolheram calorosamente. Alguns jantares, conselhos, dicas de bons endereços, filhos quase da mesma idade. A alegria de perceber que paramos num bom lugar, que o bairro tem o nosso jeito, que os vizinhos são simpáticos. Depois, com o passar do tempo, o laço foi se distendendo.

O único encontro que ainda restava era o do momento do lixo. Encontravam-se entre homens, pontuais, duas vezes por semana, fizesse chuva ou sol, e trocavam novidades.

Victor viu a mudança. Mudança tão sutil, primeiro, provocando não mais do que uma leve dúvida em seu espírito. Não se sabe de onde vem. E depois se aguarda as próximas vezes para observar melhor, mas a transição é progressiva demais para que Victor possa detestá-la. Conclui que é apenas porque ele está deixando crescer o cabelo. Chega mesmo a dizer para Solène que, aos quarenta anos, usar umas mechas assim escabeladas é meio estranho.

E então, num fim de tarde, quarta ou sexta-feira, já não lembra, porque há muitos sacos de lixo para levar ao contêiner, Solène o acompanha. Passam por Lauren, e Solène deixa cair os sacos de lixo no chão. A última vez que ela o tinha visto fazia já muitas semanas. E é ela quem fala, tão logo entram de novo em casa:

— Mas ele está virando mulher! As sobrancelhas depiladas, os cabelos, já não tem barba! Por que você não me disse nada? Você não se deu conta?

— Não tinha certeza...

Victor se sente completamente idiota. Ok, ele não viu nada, mas ao mesmo tempo ninguém lhe explicou nada também. Da próxima vez que se encontram, ele olha melhor. Ah, sim, é verdade. Faz várias e várias perguntas sobre os filhos para ganhar tempo e continuar observando. Notar um detalhe, contar a Solène, se gabando. Isso fui eu que vi, não você.

Ele fica sabendo que Thomas está no internato, que os laços se romperam. Ou melhor, quase.

— Sobretudo comigo — acrescenta Lauren.

— Ah, é? Bom, ao mesmo tempo eu compreendo por quê!

Aquilo sai de maneira abrupta e deixa Lauren boquiaberta.

Eles permanecem parados por alguns instantes. Victor não percebe o quanto sua fala tem de ofensiva. É o bom senso. Claro que seu filho não aceita que você vire uma mulher. É evidente. Olhe bem pra você!

Lauren não diz nada, mas a brecha se abriu e Victor se enfia, não tem medo de mais nada. Agora ele deseja saber. Cheio de curiosidade, encosta-se no contêiner e prossegue:

— Mas me diga, o que exatamente você tem contra os homens?

Ele a olha com um ar cúmplice:

— Não será, no fundo, que você não se assumia como veado?

Lauren fica desconcertada. Como explicar, ali, junto aos contêineres do lixo, que aquilo não tinha nada a ver com sua sexualidade, que ela não tem nada contra os homens, mas somente que ela não é um deles. Já dá para começar a ver, não dá?

Lauren pensa um pouco, em seguida lança seu saco no contêiner apropriado e, dando-lhe as costas, diz apenas:

— Sou eu e pronto.

Nada a explicar.

De volta à casa, batendo a porta, Lauren se atira no sofá. Claire, ao seu lado, navega em seu tablet.

— O que aconteceu? Algum problema?

E Lauren lhe conta a cena, sem omitir nada. A expressão de Victor, suas perguntas absurdas, o muro de incompreensão e a fuga como única resposta.

— Você teria feito o que em meu lugar?

Claire olha para ela demoradamente. Seu pai, meu pai, esta mulher. E lhe vem uma ideia, a única resposta possível.

Explicar, explicar, explicar. Um escudo de informações que se ergue para justificar o que a gente está passando e que nos permitirá, talvez, não mais sofrer com aquilo. É o que Claire espera.

Ela preencheu folhas e mais folhas, e depois convidou Émilie para escrever com ela um longo artigo para o jornal do colégio. Falar dos transexuais em geral, e em particular do seu pai. Para calar a bico dos que fazem troça. Ela percebeu que eles formam uma legião.

Se atirou de cabeça, se esforçou procurando textos na internet, fotos e vídeos, muitas vezes chocada com o que encontrava. Quando se sentiu pronta, falou para Lauren:

— Sabe, propus ao jornal do colégio um artigo sobre transexuais. Isso talvez faça com que idiotas como o Victor calem a boca, não?

Lauren fica abismada. Sua filha se engaja nesta causa, sua causa. Ela a acha muito corajosa. Na sua idade, não teria feito nada, apenas se encolhido. Clandestino em seu próprio corpo. Então Lauren lhe fala de Cynthia:

— Ela passou por isso, você vai ver, ela é incrível e ainda viu outras. Se você soubesse o apoio que ela foi. Sempre ali, perto de mim, respondendo às minhas dúvidas, às minhas interrogações. E ao meu desespero também, a gente fica tão vulnerável às vezes.

Elas se encontram, todas, em um sábado. Na sala, Claire, Émilie, Cynthia, Solange e Lauren. Estão emocionadas de se conhecerem. Lauren e sua família. Lauren e suas amigas. As pessoas mais chegadas, sem conveniências nem polidez. Vai-se direto ao ponto, arrisca-se.

Émilie toma notas freneticamente. As outras se olham, se escutam, se respiram.

— Então foi você quem a acompanhou no início, que estava junto dele, junto dela, que a informava?

— Sim, e vou estar ainda o tempo que precisar — responde Cynthia.

Ela conta das associações, dos percursos, do que eles têm de parecidos e de únicos. Os rostos, os corpos, o que muda e o que permanece, para que um dia a adequação entre o interior e o exterior se faça.

Depois, Émilie e Claire se encontram várias vezes, após as aulas, para escrever o artigo — elas debatem sem parar sobre o assunto. Émilie foi acolhida de braços abertos na família de Claire. Percebeu que sua presença fazia bem, que de certa maneira ela trazia um bálsamo para eles. Em sua casa não acontece nada, ela passa despercebida entre a tevê e as brigas aos gritos. Então ela se implica de corpo e alma naquilo, e agradece.

Depois vem o momento da diagramação com o professor, quando da oficina semanal. Primeiro leem o artigo em voz alta, para escutar o que soa bem e o que soa mal. E ali a voz de Claire soa precisa, no ponto. Ela faz com que se ouça a carne e a pele através das quais passa o seu pai. Arrasta todos em uma torrente de explicações que desfaz cada nó, cada interrogação, deixando fora de alcance a ignorância e sua horda de insultos.

Ela lê a uma velocidade intensa, a respiração levemente alterada pela emoção. Sob o olhar dos outros, descobre uma voz que não conhecia. Voz firme e determinada, uma voz que não tem mais medo. E quando termina a última frase, ninguém se mexe.

Claire pousa a folha sobre a mesa e busca o olhar do professor. Ele a felicita:

— Bravo! Bravo! É arrebatador e muito corajoso! Com este artigo, você presta um serviço a todos nós.

Ao fim da oficina, o jornal é postado online, e Claire envia o link ao pai.

Lauren o lê naquela mesma noite, confortavelmente instalada no sofá. O tablet mostra a bela diagramação e seu conteúdo comovente. Logo seus olhos se enchem d'água. O orgulho, a alegria. Minha filha comigo, minha filha que me compreende.

E, naquele sofá, ela pensa em Solange, na vida que passaram juntas. Naquela casa onde, esta noite, ela está sozinha. Solange saiu com uma amiga e Claire foi dormir na casa de Émilie. Ela serve um uísque, passa a mão nos cabelos. Sua mecha, que ela gosta tanto. Este corpo, meu corpo.

Eu conheço vocês, sei tudo sobre vocês, contudo, só penso em mim. Avanço. E me dou conta, de repente, que vocês avançam também. Principalmente você, Solange. Você avança, e não há como te censurar. Como te dizer que eu teria todos os direitos e você nenhum?

Sou tomada por dúvidas, às vezes, não sei por onde você anda, então te espero, respiro e te espero. E tento pensar com a razão. Que corpo eu tenho para te oferecer, meu amor? Um quase corpo. Nem homem nem mulher. Seios e um sexo que não endurece mais. Você pôs a mão nele outro dia, ele mal e mal te reconheceu. Já não passa de uma sombra. Em nenhum momento eu perguntei a sua opinião. Esta transição, eu a vivo sozinha ao seu lado. Você a suporta, e não tem outra opção senão aceitá-la. Você não participa. Não, você decidiu ficar, ao passo que meu sexo de homem vai desaparecer. Como a gente vai fazer amor? Eu não consigo te fazer essa pergunta. As palavras não existem. Então eu me calo e me transformo. Não recuo, e me lembro do tempo em que nos amarmos e transar nos bastava.

Hoje meu corpo está ocupado demais com ele mesmo para ter um impulso qualquer em relação ao seu. Estou em transformação. Nada em torno de mim me define. Nem vocabulário nem representação. Encontro-me no interstício homem-mulher. Desfocada, como em meu sonho de criança. E leve. Não te desejo mais, meu amor. As imagens que temos uma da outra são fixas, congeladas. Na minha cabeça, como na sua, nós estamos antes. E o hoje é apenas uma espera, uma passagem.

Tornar-se mulher não desloca o objeto de meu desejo. Também não o substitui.

Tenho medo de que você desista de mim, de nós, porém, todos os dias eu tomo os meus hormônios, já liguei para o consultório do cirurgião na Bélgica. Marquei uma consulta para o mês que vem. A primeira, a das informações, do protocolo a seguir, do que vai acontecer, da decisão a tomar, da resposta a dar algumas semanas mais tarde. Um sim que eu carrego há tantos anos. Eu irei, eu vou, mas isso não apaga as zonas de sombra, de medo, de sobressaltos. Corro o risco de te perder? De ser mulher, mas de perder tudo o que construí enquanto homem?

 Tudo nos leva a nos determinarmos. E a fazê-lo em alto e bom som. Declinar sua identidade. Sou indeterminada, meu corpo é um compromisso. Não sou mais o da minha carteira de identidade, e Lauren ainda não existe oficialmente. Se eu não me defino, posso dizer, de fato, quem eu sou?

 Meu corpo se transforma tão devagar. Devagar demais para poder dar uma resposta objetiva a "Quem sou eu?".

 Tenho de aceitar não possuir nenhuma resposta a te dar. Então eu busco, você busca. E fico com o coração amassado pelo medo.

Solange e Lauren estão no restaurante onde tinham almoçado alguns meses antes. É o fim do ano escolar para Solange, e elas comemoram com um drinque. Um ano passado.

Mudamos, mas resistimos. A vida nos saltou aos olhos, no pescoço — de assalto em todo o corpo. Nós lutamos, nos debatemos, mas acabamos por abraçá-la. E agora estamos aqui, neste restaurante que nos viu sentar, almoçar, desconfiar, nos transformar. Testemunha silenciosa. Ontem, falavam das crianças com Laurent, hoje é com Lauren. A mesma voz, o tom um pouquinho mais alto, no esforço de ser mais aguda, mais adequada. A gente olha para ele, o reconhece. Olha para ela, a descobre. Ele e ela, os mesmos, único coração, única pele, células renascentes. Permanência e impermanência.

Sentados à mesa, taças de vinho branco na mão, falam ainda dos filhos, principalmente de Thomas. Do internato, que no fim das contas lhe faz bem, que lhe ajudou a reencontrar a disciplina e o progresso nos estudos, da recusa que ele continua a ter de falar a respeito do seu pai, do rancor que ainda guarda. Solange não revela as tantas horas passadas ao telefone tentando chamá-lo à razão, os SMS, os e-mails enviados. A resistência, a reticência de Thomas como única resposta. Ela lhe disse: Daqui a alguns dias seu pai vai para a Bélgica para a primeira consulta, e ele desligou na cara dela. A verdade é insuportável para ele.

Solange continua calma. Gaétan está lá, em seus pensamentos. Ela se sacia com ele, ele preenche um vazio que Laurent deixou. Porém, seu companheiro, sua companheira é ela, esta mulher em processo, que hoje só tem desejo por ela mesma.

Solange olha para Lauren com carinho:

— Que coragem você tem!

Lauren responde, sorrindo:

— Você se lembra de nosso último almoço aqui? Uma ruiva espetacular entrou...

— Sim, me lembro muito bem.

— No seu jeito de andar e no seu corpo havia qualquer coisa de animal.

— É verdade, ela era magnífica. Agora você está quase assim...

Na esplanada deste café, uma junto da outra, elas olham as pessoas passarem, nada de ruiva incendiária, mas um fluxo contínuo de pessoas que se cruzam, transportando uma quantidade de mistérios e de esperanças. É este olhar dirigido aos outros que as une. Mais que os filhos e os anos em comum, as brigas e as alegrias. Olhar na mesma direção. Não se mexer, não se dizer nada. Beber tranquilamente sob o sol, como se nada houvesse.

A vida nos apressa, nos molda, nos empurra, nos mata. Mas eu brindo à sua saúde, Lauren. Hoje e amanhã.

São quinze horas e Lauren está instalada no Thalys que a levará a Bruxelas. Ela chegou a Paris, trocou de gare, e agora seu trem vai partir. A consulta é daqui a algumas horas, tão perto, tudo perto. Ela pegou um livro e revistas, e música também, para passar o tempo. Mas o tempo se espicha, tão longo se faz agora. Somente algumas horas até encontrar o cirurgião. O trem começa a se movimentar.

Lauren vê a paisagem passar em velocidade, árvores, o azul do céu, e a essas imagens se misturam outras, de sua vida, dele criança no viaduto sobre a autoestrada, os carros que ganham velocidade, que o deixam lá em cima, atrás do guarda-corpo, observando o fluxo contínuo, enquanto a leveza do sonho o carrega ainda mais um pouco, esta leveza que ele vai buscar em Bruxelas. Leve, leve, o dia em que estarei com meu sexo de mulher.

Lauren vê os rostos do pai e da mãe rindo às gargalhadas no jardim, e ele no balanço, escutando-os, em uma tranquila felicidade, momentos de esquecimento, os ventos no cabelo quando se lança um pouco mais alto, um pouco mais forte. Há também o armário e o perfume de sua mãe coberto pelo pó, os sapatos e o bem-estar, ali, enroscado, acreditar no tempo suspenso, acreditar que não o acharão ali. Está escondido no interior dele mesmo, constituído apenas de prazer, e este prazer, invisível à luz do dia, explode, fazendo voar a seda, os casacos, os vestidos. E tudo desaba em cima dele deliciosamente.

Lauren vê o pai que fuma no carro, uma mão sobre o volante, o cotovelo apoiado na janela, o olhar indolente na estrada, e a cinza que cai sobre a alavanca do câmbio. Depois Solange, nua, a primeira vez, ele com a cabeça pousada sobre o ventre dela, tão próximo do sexo, se aproximar do mistério, tocá-lo com a ponta dos dedos, se dizer que daqui a um pouco vai mergulhar inteiro ali.

E agora, Thomas e Claire que brincam, brigam, crescem. Lauren os vê tão claramente, nas ondas, no jardim, sob o sol, na chuva, cada dia único e mutante, cada dia que passa com Mathilda, Cynthia, com todas as outras do Zanzi.

Lauren em plena luz.